SEXE CHRONIQUE

GENEVIÈVE DROLET

SEXE CHRONIQUE

ROMAN

Nous remercions le Conseil des Arts du Canada de l'aide accordée à notre programme de publication, et la SODEC pour son appui financier en vertu du Programme d'aide aux entreprises du livre et de l'édition spécialisée.

Nous reconnaissons l'aide financière du gouvernement du Canada par l'entremise du Programme d'aide au développement de l'industrie de l'édition (PADIÉ) pour nos activités d'édition.

Gouvernement du Québec — Programme de crédits d'impôt pour l'édition de livres — Gestion SODEC

Conception graphique de la couverture : Marc-Antoine Rousseau
Conception typographique : Nicolas Calvé
Mise en page : Marie Blanchard
Révision linguistique : Fleur Neesham
Correction d'épreuves : Annabelle Moreau

Dépôt légal — 4e trimestre 2011
Bibliothèque et Archives nationales du Québec
Bibliothèque et Archives Canada

ISBN 978-2-89671-014-0

Imprimé au Canada sur les presses de Transcontinental Gagné.

Catalogage avant publication de Bibliothèque et Archives nationales du Québec et Bibliothèque et Archives Canada

Drolet, Geneviève, 1984-

Sexe chronique
ISBN 978-2-89671-014-0

I. Titre.

PS8607.R635S49 2011   C843'.6   C2011-942021-X

PS9607.R635S49 2011

Pour Jon, mon grand frère qui m'a aidée
à devenir adulte.

1

Rue Rachel. Mes jambes sont écartelées entre une chaise en bois balafrée et un canapé rouge qui croule sous une couche alarmante de poils de chat. Un matou noir obèse aux billes jaunâtres, celui à qui appartient la fourrure errante, se frotte les phéromones sur mes flancs, tente de pénétrer ma chair, et quand, mal à l'aise, je fais mine de le repousser, il persiste et m'attaque à grands coups de frôlements lascifs. Mrraawwwrrr !

Depuis deux semaines, je participe à un stage de flexibilité extrême qui se donne dans la salle de séjour d'une ancienne gymnaste rythmique recyclée en guru de la douleur. C'est ma dernière journée de stage et j'entrevois déjà la délicieuse perspective de ne plus être harcelée par un félin mâle libidineux. Je souris, tout en regrettant la fin de ces sessions de torture. Les différents exercices, impliquant à coup sûr un écartèlement du bassin, m'ont procuré tout au long du stage une sensation des plus ambivalentes. Lorsqu'à la fin d'une position, je me recroquevillais en petite boule et qu'une douleur intolérable m'écorchait l'entrejambes, j'avais toujours l'impression d'avoir violé mon propre corps. Je savais que cette sensation me manquerait.

Après trois heures de viol collectif — deux danseuses exotiques au parcours nébuleux participent au stage —, je m'habille, secouée de spasmes subtils. Travail physique excessif. Je sors un chèque vierge de mon portefeuille, y inscris le montant de 250 $ et le remets à la dame au port de tête impeccable qui se tient devant moi. C'est ce qu'on doit débourser pour cette sensation doucereuse d'abus physique et de jambes en guenille. Un petit chignon cuivré *fake* trône au-dessus du visage fondant de la dame et je ne peux m'empêcher d'avoir pitié d'elle, une pitié qui dans de telles circonstances fait office de dégoût. J'en ai honte. En prenant cette dame à peine défraîchie en pitié, c'est ma future dégradation que je rejette, que je condamne. Je nie mon futur à grands coups de mépris.

En empruntant les marches précaires de l'escalier en colimaçon du triplex, j'ai la certitude d'être plus souple. Cela compense le trou dans mon portefeuille et les muscles déchirés qui me mordent les jambes à chaque foulée. Je ne me fais pas d'illusion. Ma flexibilité améliorée ne constitue pas un élément susceptible de me rendre attirante aux yeux des hommes. Ces capacités n'ont jamais permis à quiconque de mieux performer lors d'une relation sexuelle. C'est un mythe. Une femme peut avoir l'irrépressible envie de s'adonner à la déchirure de ses muscles et tendons de l'aine sans qu'on lui attribue des qualités érotiques remarquables.

À mi-chemin de chez moi, je m'arrête dans une épicerie, tentée par les étalages de fruits juteux et enflés comme des torses d'hommes de la construction. J'y rencontre mon dernier amant en vigueur, Oli. Avant de coucher avec cet homme au printemps dernier, je connaissais déjà sa réputation de séducteur et je le tenais en basse estime. Il s'est avéré un amant surprenant et il m'excitait d'une manière particulière.

J'ai rencontré Oli au mariage d'une amie. C'était une journée torride du mois de mai. La réception se donnait à Val-David, dans un chalet en bois rond muni de plusieurs dortoirs avec des lits superposés. Oli me regardait comme un charognard zieute un cadavre fraîchement broyé sur le bord de la route. Je me sentais désirable, ou quelque chose comme ça. Le champagne et la coke ont aidé. Au milieu de la nuit, je me promenais seule dans le jardin. Il m'a agrippée par-derrière et m'a propulsée dans le jacuzzi avant de m'y rejoindre et de refermer le capot. Il ne restait que quelques centimètres pour respirer. Je me sentais étouffer. Je pensais à ma robe en dentelle ocre qui serait ruinée. Il m'asphyxiait avec sa bouche, me plaquait contre les parois du jacuzzi, comprimait mon corps qui se démenait pour lui échapper sans le vouloir vraiment. Quand il s'est rendu compte qu'on ne pouvait pas baiser faute d'espace, il m'a emmenée dans les dortoirs, a déniché un lit inoccupé au troisième étage et il m'a fourrée en mettant sa main sur ma bouche pour que je ne crie pas, en me chuchotant des mots pervers avec une douceur grinçante. Salope, pute, pétasse, les classiques. Après, le lit était détrempé. Oli ronflait. Le condom était encore sur son sexe mou.

C'était quelque chose de nouveau pour moi, de coucher avec un gars dont je me fichais et avec qui je n'aurais jamais envisagé être en couple. Lorsque je lui ai dit ça, histoire de mettre en lumière mon honnêteté, il a paru surpris, déçu. Au fil de nos rencontres, je me suis efforcée de lui trouver d'autres qualités. Je commençais à me dire qu'il n'était pas si mal, ou quelque chose comme ça.

Devant une rangée de kiwis barbus, il me propose de s'inviter chez moi. J'ai plus d'une objection, mais désarçonnée devant le turquoise de ses yeux, je cède à cette envie de lui insolite, un désir mêlé d'une répulsion sauvage.

— Criss que j'te baiserais maintenant, devant tout le monde. Ça t'excite que je te dise ça, hein?

À la place d'une réponse intelligible, je baragouine quelque chose d'imprécis en gloussant, mal à l'aise. Ses yeux affichent une concupiscence sublime. Il sait attirer n'importe quelle minette fragile dans son lit.

Lorsque nous pénétrons dans l'appartement, il se rend au salon.

— C'est beau. Est où ta chambre?

Ou bien, quand baisons-nous ? C'est équivalent.

Il ne s'intéresse pas à moi. Je n'ai rien à foutre de lui non plus, alors ça peut aller. J'ai l'impression qu'il veut expédier la chose au plus vite. Il me propulse sur le futon poussiéreux et commence aussitôt à me déshabiller. Ma camisole craque sous ses doigts impatients. Il me place à quatre pattes, relève ma jupe et déchire mon string avant de se mettre à me sodomiser, pendant que je me demande ce qui lui a fait penser avoir reçu une invitation de ce genre. Je me retourne, vois mon propre sang sur sa bite dressée. Putain…

— On devrait se protéger Oli.

Devrais-je lui parler de cette chose qu'on appelle le respect, combinée avec cet autre paramètre qu'on nomme la réciprocité des envies ? Un début de nausée diluée s'immisce en moi et prend la place que mon intégrité aurait dû avoir. Je vais dans ma chambre et reviens avec un condom, que je mets en place sur son sexe. En baisant par la suite, l'image de sa verge vermeille me hante. Ai-je eu l'impression d'avoir subi un abus ? J'ai abusé de mon propre respect.

— Kira, j'pense que je vais te décevoir en tabarnak.

— Pourquoi tu penses ça ?

Je plonge mon regard dans le sien, ses yeux aquatiques mouchetés d'or transpercent ma chair et viennent poignarder mes organes qui se flétrissent. Surtout mon cerveau.

— Ben criss, on dirait que tu m'aimes pis moi j't'aime pas.

Intonation qui manque d'implication.

J'encaisse ses paroles avec flegme. J'ai la sensation de m'être fait rouler dans mes propres émotions, comme on roule des saucisses cocktail dans du bacon. Je me suis forcée pour le trouver intéressant car il semblait vouloir quelque chose de plus. Je ne sais pas trop quoi lui dire. Je me protège.

— Oli, je ne sais pas si tu t'en souviens, mais je t'ai déjà dit que je ne voulais pas être avec toi, que je ne t'aime pas.

— OK, mais je sentais que tu commençais à m'aimer. T'es là à me regarder avec ta p'tite face dévouée pis parfaite. Personne trouve ça attirant, ce genre de fille. Scuse, je l'sais que c'est pas cool mais faut que j'y aille. J'ai ma coloc qui m'attend pour souper.

Je le raccompagne à l'entrée du loft et le congédie. Lorsque la porte se referme derrière lui, je me mets à chigner. J'attire des personnes qui veulent m'utiliser pour une sodomie sanglante sur le coin d'un sofa. Rien d'autre.

J'ai l'impression d'avoir un gros amas de poil dans la gorge. Je pense au chat presque décoratif de l'appartement, celui qui vomit trois ou quatre fois par jour ses boules de poil, mêlées de résidus de plante et de croquettes pour félin, et je comprends comment sa vie doit être pénible. Avoir un gant de crin à travers l'œsophage n'est pas une sensation que je recherche à temps plein.

Je n'en reviens pas de m'être fait virer.

***

Je m'extirpe de ma torpeur. Je dois être à Québec dans moins de quatre heures, prête à commencer mon entraînement de main à main avec mes deux partenaires de travail.

Je prends une douche expéditive, dégoûtée par le plancher en plastique poreux qui semble abriter sa collection d'infections inédites. Les trente secondes qui s'écoulent suffisent à faire monter le niveau d'eau à mes pieds et la menace d'une inondation me fait envisager un curetage de notre système de plomberie, saturé des cheveux des deux déesses et du Mexicain qui habitent ici. Je ne prends pas la peine d'éponger l'eau qui ruisselle sur mon corps et qui marque au passage mon chemin. Je me précipite à la cuisine et y déniche une fourchette qui semble ne pas être utilisée souvent, quoique je ne puisse l'affirmer avec certitude. Je me promets de ne pas la remettre avec les autres ustensiles après l'usage que j'en ferai. Au passage, je me cogne la hanche sur la table à manger et malgré moi, je me mets à sacrer avec toute la finesse d'un bûcheron graveleux. De retour dans la salle d'eau, j'enlève le drain de la douche et en ressors, à l'aide de mon outil improvisé, un amas gluant et chevelu, savant mélange de savon, résidus capillaires décomposés et moisissure. Les expressions nauséeuses de circonstance me défigurent alors que je mets ma main sous la masse dégoulinante et accours vers la poubelle pour m'en débarrasser.

Je fourre mon sac à dos de quelques sous-vêtements propres et descends les treize étages de mon immeuble. Un homme d'origine libanaise me conduit juste à temps à la gare d'autobus pour que je puisse prendre le départ de treize heures vers Québec. Mon postérieur hoquette au gré des bosses sur la banquette en faux cuir. Douleur. Je ne sais pas si c'est la session de flexibilité ou bien la sodomie. Je le surélève à l'aide de mes mains pour le soulager. Le conducteur du taxi rechigne à me fournir un reçu, comme si cette tâche le détournait de son emploi du temps.

2

Je m'applique à exhiber l'étendue de ma flexibilité améliorée devant toutes les personnes présentes au gymnase en ignorant les centaines de déchirures musculaires qui me font hurler en silence. Ah, vanité ! Quelle douce illusion de l'amour-propre !

Avec mes deux partenaires, on discute des derniers détails concernant notre départ pour Paris dans quelques jours. Nous allons participer à une émission télévisée qui se vante de diffuser certains des meilleurs numéros de cirque sur la planète. Pendant notre réunion informelle, Éveline adopte la position de la grenouille, écartée face contre terre, les jambes pliées, et elle bondit de façon suspecte. Elle porte une robe estivale et ne semble pas penser que cet accoutrement est inadéquat pour la pratique d'activités sportives. No, pour sa part, couine en faisant des redressements assis et de temps à autre, elle replace son pantalon noir troué à l'entrejambes qui glisse de ses fesses. Le tapis cobalt qui s'étend sous nos jambes empeste le jus de pieds d'acrobate.

Mon téléphone sonne dans le fond de mon sac à dos mais je n'ai pas le temps de le récupérer.

Appel manqué, numéro privé. Pas grave. Ça doit être un sondage de ma compagnie de téléphone.

Nous faisons trois enchaînements du numéro. Après notre entraînement, les filles proposent qu'on améliore notre passage de banquine en remplaçant la vrille arrière par un double salto. Elles veulent ajouter une dose de risque supplémentaire pour notre passage à l'émission parisienne.

— Je pense pas que…

— Oh ! Come on Kira, c'est pas une pirouette de plus qui va faire la différence, tu vas te blesser de toute manière si tu tombes.

Cet argument pourtant réaliste ne m'apaise pas. Elles font à leur tête.

***

La ville de Québec, mon patelin natal, me rappelle à elle chaque fois qu'un spectacle est prévu pour notre trio. Il a été convenu lors de mon déménagement à Montréal qu'on ferait tout pour conserver la qualité de notre numéro. Mes passages obligés à Québec se résument à très peu d'activités : je m'entraîne, je vois ma mère et je partage mon temps entre mes amis. J'ai de la difficulté à faire entrer les six ou huit personnes qui désirent me voir dans l'horaire d'un séjour de deux jours. Je fais souvent des combinaisons incongrues, des mélanges de personnes qui ne vont pas bien ensemble. J'ai une propension à l'angoisse lorsque je suis éloignée de Montréal trop longtemps. J'abrège autant que possible mes séjours dans la capitale de l'ennui.

Je n'aime pas la sensation de régresser et la ville de Québec me procure cette impression. J'y ai trop vécu, ou pas assez. Je soupçonne mon ex-ville de vouloir me trahir, attendant le moindre relâchement de ma part pour me ternir, dénoncer l'insignifiance de ma vie. J'ai décidé de métamorphoser la personne que je suis en changeant d'habitat. En revoyant ce que j'ai été, je redeviens la petite fille qui me déplaît. Je n'ai rien de pénible à effacer de ma mémoire, aucun souvenir morbide. Trop peu d'action me fait horreur, comme un lac frigide, engourdi.

Mon téléphone sonne à nouveau pendant que ma mère me parle, mais par respect pour son histoire de baise avec la secrétaire de son dentiste, je m'abstiens de répondre. Appel manqué, numéro privé. J'ai la sensation que je rate l'appel de ma vie, ou quelque chose du genre. Pas besoin de grand-chose pour exciter mon imagination. J'accorde beaucoup d'importance aux possibilités infinies que recèle une conversation téléphonique.

Lors de notre dernier entraînement avant mon retour vers Montréal, je réussis finalement à entendre la sonnerie irritante de mon portable, à le trouver parmi les innombrables babioles qui traînent dans le fond de mon sac et à appuyer sur le bouton affichant une icône verte.

— Allo.

— Salut Kira... C'est Gabriela. Je te dérange ?

— Ah ! Salut.

— Jemedemandaissituasenviequ'ons'entraîneensemble... aujourd'hui.

Elle me pond cette phrase comme si elle avait peur de perdre son élan au milieu de son énoncé.

— Je suis à Québec en ce moment et je reviens tard ce soir.

— Demain alors ? lâche-t-elle avec un empressement que je ne lui connais pas.

Mes partenaires m'attendent pour répéter notre nouvelle finale et à leurs mines exaspérées, je sens que mon temps de réflexion est compté.

— OK, demain vers midi, ça te va ?

— OK, parfait... Kira ?

— Ouais ?

— J'ai hâte de te voir.

— Euh, ouais, bye Gab.

Elle sera en retard. Je note son nom à côté de la case « 13 h » de mon agenda.

La non-ponctualité de Gab est pathologique et je suis incapable de m'affairer à autre chose lorsque je l'attends. Il y a ce dicton qui m'empêche de lui casser les oreilles avec mes requêtes d'assiduité : « La ponctualité est l'obsession de ceux qui n'ont rien à faire. » Je l'admets, je n'ai rien à faire. Ou bien est-ce mon efficacité qui brouille les pistes ?

Il s'est écoulé six mois depuis l'envoi de son dernier courriel, un missile nucléaire électronique qui a mis fin à ma vie avec elle. Six mois. Au début de notre relation, Gab, une ballerine-chorégraphe d'origine islandaise rencontrée pendant le tournage d'une publicité pour une crème hydratante, m'a motivée à m'entraîner plus fort, à suivre des dizaines de séminaires, à me rapprocher de la quintessence qu'elle incarnait. Elle croyait en mon potentiel d'artiste et moi, je croyais en un « nous » ultime. Je l'admirais, la vénérais et l'idolâtrais. L'histoire d'amour que je vivais avec elle était magnifique dans ma tête et n'a jamais dépassé ce stade. Une semaine après mon arrivée à Montréal, j'ai reçu un courriel de sa part. Elle souhaitait qu'on arrête de se voir, ou qu'on cesse de coucher ensemble. Même chose. Dans cette lettre froide qui s'affichait à l'écran de mon ordinateur, elle ajoutait — je me demande encore si j'ai rêvé l'usage du caractère gras — qu'elle ne ressentait pas de sentiment amoureux pour moi, qu'elle aspirait à davantage et qu'elle était certaine qu'on méritait mieux, chacune de notre côté. Elle voulait qu'on soit amies. Cette amitié intangible ne s'est pas manifestée depuis six mois.

J'ai été la seule fautive dans cette relation. Gab a été très claire avec moi. Je l'ai remerciée pour son honnêteté lorsque ma hargne pour elle s'est dissipée, quelques semaines plus tard. Cette paix intérieure était émouvante. Elle me faisait souvent pleurer.

3

QUAND J'APERÇOIS LE PONT Jacques-Cartier sur le chemin du retour, une lueur d'allégresse me fait sourire. Montréal m'a accueillie quelques mois auparavant à grands coups de gloire, de déchirure amoureuse et de solitude. Je ressens une énorme gratitude envers elle. Je la subis, bien blottie dans mon rôle de victime urbaine.

Dans mon placard de la rue des Érables, j'ai fermenté la future moi en tuant la détresse de ma peine d'amour. Je soupçonnais Gab d'avoir pensé que j'étais déménagée parce qu'elle habite Montréal. Il ne me restait plus rien, pas même une parcelle d'amour-propre. Je me sentais comme au fond d'une piscine, attendant le moment propice pour me propulser vers la surface. J'ai passé au travers de cette crise en serrant les dents et en attendant que vienne le jour où la douleur qui me tordait la poitrine disparaîtrait. Je gardais mes plaintes pour moi-même, faute d'avoir des amis dans mon entourage avec qui les partager. Le téléphone n'aurait pu transmettre la détresse dans laquelle je barbotais.

J'ai l'impression d'être une cicatrice ambulante. Je ne suis ni heureuse, ni malheureuse. J'attends de la vie qu'elle me laisse dériver sur son dos, à bord de mon embarcation gonflable, sans qu'il y ait trop de remous. Il y a toujours ces zones de taches sombres dans mon existence, comme si ma vision était leurrée par un pointillé noir indélébile. Des trous d'où peuvent s'échapper toutes les bonnes choses, mais qui laissent pénétrer l'encrassement chronique. Mon filtre est défectueux.

Cette histoire n'est pas une belle histoire.

***

Je suis assise en face de mon café et je lis. Ai-je d'autres occupations hormis l'entraînement, la lecture et l'étalage de ma mélancolie ? Peut-être pas.

On cogne à la porte. Pas encore midi. Je dois imaginer ces bruits sourds qui me dérangent dans ma lecture. Je me lève et me rends à la porte en traînant mes pieds sur le béton glacé. Musée de poussières édulcorées.

Tachycardie. Gab est là, devant moi. Il n'est pas encore midi. Du haut de ses escarpins vertigineux, elle transporte un gros sac en toile noire et un tapis de yoga. Déconcertée, je la laisse entrer. J'oublie de l'embrasser. Tant mieux. Dehors, les rayons de soleil viennent se fracasser contre les vitres de mon loft.

Je les laisse entrer. Je suis de bonne humeur. Je fais glisser les fenêtres qui crissent sous mes doigts devenus blancs à force de pousser le métal. Une brise chaude et humide pénètre dans l'appartement.

L'ambiance est étrange, nos silences se coupent la parole et nos regards se croisent et s'évitent avec vélocité. Tout redevient normal après une dizaine de minutes, sauf qu'on ne couche plus ensemble.

L'entraînement me fait du bien. Elle regarde les figures que j'exécute et me donne deux ou trois corrections lorsque je finis une improvisation de mouvement, le front constellé de joyaux liquides. Pas délectable à observer. Je scrute ses positions de flexibilité extrême, j'ajuste la hauteur de ses jambes dans un mouvement, je l'aide à s'étirer. Elle m'écoute et je remarque de la gratitude dans son regard, des pétillements de satisfaction aussi. Nos séances lui ont manqué autant qu'à moi. Dans un bien-être tacite, nous continuons à nous entraider comme si nous n'avions pas eu d'histoire.

La vie suit toujours cette tangente en période de crise. On s'aime (je l'aime), on s'aime davantage (je l'aime davantage), on ne s'aime plus et on se déchire (elle ne m'aime pas et ça me déchire), on se déteste (je la déteste), on s'oublie (elle m'oublie), et on finit par s'aimer, mais différemment.

Gab est pragmatique, perfectionniste et fait toujours les choses de la même manière, dans un ordre duquel elle ne peut pas déroger sous peine d'un puissant dérèglement cérébral. Parfois, sa personnalité m'exaspère mais aujourd'hui, je la trouve réconfortante et apaisante. Elle m'a manqué et je suis heureuse de me sentir ni amoureuse, ni torturée, mais libre.

À la fin de notre entraînement, lorsque je la raccompagne à la porte, ses lèvres se posent sur ma nuque. Coussinets humides.

— Bonne soirée.

— Ouais, toi aussi. Tu es d'accord pour venir t'entraîner ici vendredi ?

— Oui, c'est bon.

4

Ma première expérience sexuelle a été un désastre. J'ai fait mon entrée dans le monde adulte non pas avec mon premier amoureux comme la plupart des adolescentes de quinze ans, mais avec un amant. Il m'a séduite avec les pots de crème glacée napolitaine qu'il venait déposer à la porte de ma maison banlieusarde à toute heure du jour, sous le regard bienveillant de ma mère qui, ayant toujours cru que j'étais lesbienne, semblait soulagée de voir que la loterie des orientations sexuelles ne m'ait pas désignée comme telle. Cet homme aurait pu être l'acolyte de Jack l'Éventreur, elle aurait été satisfaite juste parce qu'il s'agissait d'un homme.

Dès notre premier rendez-vous — un conciliabule hivernal dans l'habitacle d'une voiture chauffée par intermittence —, ce premier amant a eu l'honnêteté de me dire qu'il ne souhaitait pas être en relation en ce moment, mais qu'il aimerait bien qu'on passe ensemble quelques bons moments, si j'étais d'accord. Mon consentement représentait pour lui, j'imagine, une barrière éthique puisqu'il avait une dizaine de printemps de plus que moi. Voyait-il un problème dans le fait d'abuser de ma naïveté ? Non.

Cette situation ambiguë était temporaire et je me disais qu'une fois qu'il aurait découvert la merveilleuse personne que j'étais à l'intérieur, il voudrait me prendre la main en face de Papa et Maman, séparément, car ils étaient divorcés depuis que j'avais sept ans. Il ne m'est pas venu à l'esprit que mon bel amant me disait la vérité sur ses intentions. Je lui ai ouvert la porte de mon cœur zélé et lorsqu'il a pénétré la candeur de mon âme avec son pénis que je ne verrais jamais, il s'est retiré et est allé se lover entre les cuisses de mon grand frère.

C'est à ce moment que j'ai arrêté de manger.

Mon frère est attiré par le sexe comme une mouche l'est par une lampe grésillante. Le fait que je le connaisse si bien — coupant ici l'effet de surprise — m'a empêchée de lui en vouloir. Suite à cela, je lui ai écrit une lettre d'amour fraternel, que j'ai accompagnée d'un chapeau hors de prix pour qu'il se sente moins coupable. Amour inconditionnel ou folie, c'est selon.

C'est à cet instant que j'ai mis le doigt dans l'engrenage maudit qui m'était destiné. On en a tous un qui nous attend quelque part. Le mien était mal caché. Si j'avais eu une once de perspicacité supplémentaire, j'aurais épargné ma santé mentale mais je serais plus naïve à présent. On ne peut pas tout avoir. Il est plus profitable d'être consciente et triste qu'ignorante et bienheureuse.

J'avais neuf ans, ou peut-être bien dix ans, je n'en suis plus sûre. Mes cheveux blonds étaient coupés au carré et me donnaient des allures incontestables de garçon, mes jambes étaient comme des branches de céleri, aussi verdâtres et anémiées que le légume, mon cerveau était vide à un tel point que je le regrette maintenant. Quand j'étais vieille de cet âge incertain, j'ai eu mon premier contact indirect avec le Pénis.

Ma belle-mère nous avait emmenés, mon père, mon frère et moi, au chalet familial des Dubé, sur la rivière à Mars, ou quelque chose qui sonnait comme ça. C'est curieux de voir comment on peut déformer les mots qu'on ne comprend pas pour qu'ils aient un sens à notre oreille. Je me rappelle très bien une chanson en particulier, « Cœur de loup ». Aujourd'hui, si on me demandait de la chanter tout haut, le résultat serait très éloigné de ce que Philippe Lafontaine avait composé. « *Cœur de loup, m'as-tu vu, m'appello, guidili, sors du riz, qui fait le coup de vent du bing bong!* » : voilà ce qui trottait dans ma tête et dévalait sur mes lèvres lorsque ce tube roulait à la radio dans les années 90. Et je ne parle pas du palmarès anglophone de cette période !

Dans ce chalet non loin de cette rivière qui, probablement, ne s'appelle pas « la rivière à Mars », il y avait des lits superposés. Je ne me souviens plus du confort des matelas, ce n'est pas un détail qui nous semble important lorsque notre seule ambition d'enfant en vacances consiste à se baigner sans retrouver notre corps infesté de sangsues. Nous dormions sur ces lits étagés, dans une pièce qui était séparée de la salle à manger par un rideau poreux. Un soir, mes parents, mes tantes et mes oncles étaient tous attablés autour d'un jeu de Skip-Bo. Le sujet de conversation tournait autour d'un point visité à maintes reprises de sorte qu'il ne restait rien à ajouter de plus. La raison qui motivait une reprise de ce commérage assourdissant — ils parlaient tous en même temps — était que personne ne semblait vouloir accepter que les autres aient une version différente de l'arbre généalogique. Étaient-ils considérés comme la 7e ou la 8e génération de souche amérindienne, ou bien est-ce que l'arrière-arrière-arrière-arrière-arrière-grand-mère Cécile s'appelait bien Cécile ou est-ce qu'elle s'appelait Cyrille ? Je les écoutais sans entendre, en passant mon visage de porcelaine infantile sur le textile molletonné du rideau gauche de la fausse chambre. J'aimais la sensation de son étreinte amorphe, j'abusais de son immobilité pour le caresser en posant mes mains sur son corps vertical, j'enfouissais mon nez dans sa chair avachie, en humais la pléthore d'essences diverses, de provenances mystiques. Mon paradis dans ce chaos familial, mon îlot de sécurité.

Après plusieurs dizaines de minutes impliquant mon visage et le rideau que je ne savais pas encore douteux, ma tante Eugénie, après avoir exposé une opinion qu'on avait déjà entendue, s'est retournée vers moi et m'a scrutée du haut de son corps mordoré avec sur le visage une expression qui oscillait entre la désapprobation et le dégoût.

— Mais qu'est-ce tu fas à t'mettre la face dein rideaux? Les chasseurs utilisaient ça pour s'torcher 'a bitte quand y'allaient sua bol.

Les adultes avaient tous hoché la tête pour confirmer l'affirmation de ma tante.

Je ne me suis plus approchée des rideaux maléfiques, submergée par un mélange de honte et de perplexité. L'obsession de cette histoire m'a suivie longtemps et ce n'est que récemment que j'en suis venue à me demander pourquoi, s'ils étaient tous au courant de l'insalubrité de cet objet, ils ne l'avaient pas lavé. Pendant quelques années, l'image de centaines de chasseurs aux techniques de salubrité obscures, essuyant leur smegma sur un rideau fleuri, m'a hantée. J'ai certaines responsabilités concernant le fait que je n'ai jamais posé les yeux sur le sexe de mon premier amant. J'étais traumatisée et je crois que je le suis encore.

5

Vendredi. Je m'échauffe sur un des matelas gymniques de mon colocataire mexicain, El Tornado, artiste maquilleur chez M•A•C. Les traces que mes pieds laissent sur le vinyle noir trahissent le peu d'implication ménagère dont ce dernier fait preuve. Souiller l'appartement avant de repartir aussitôt chez son copain est son activité favorite. Lorsque ma mère m'a aidée à déménager dans ma deuxième demeure de Montréal au mois de juin, elle s'est exclamée en ouvrant la porte :

— Coucoune, on dirait une piquerie !

J'ai été déçue de son manque d'enthousiasme concernant mon nouvel appartement.

Ma mère est loin d'être l'épouse irréprochable de Monsieur Net. Elle passe sa vie en djellaba multicolore éclaboussée des fientes de son perroquet gris d'Afrique, en traînant ses pieds joufflus sur un parquet aussi sale.

Elle habite avec sa copine et la fille de celle-ci dans une banlieue cossue de la ville de Québec, qui semble regrouper la majorité des voisins délateurs de la région. Ils ont pour seule occupation la dénonciation des divers délits de ma génitrice qui, elle, prend un malin plaisir à défier les limites des lois municipales. Malgré celles-ci, qui stipulent qu'aucun animal de compagnie n'est permis dans le secteur sauf les chiens et les chats, ma mère possède une poule soyeuse, deux lapins bigarrés, un iguane couleur laitue, un lézard quelconque (je ne sais plus lequel, elle le change presque tous les six mois), une perruche obsessive-compulsive qui s'arrache toutes les plumes du corps et un chat pervers, un autre. Le perroquet mange à table avec la famille, éclaboussant tout le monde lorsqu'il secoue son bec plein de résidus de nourriture broyée. Ma mère héberge aussi une corneille à l'aile cassée qu'elle nourrit de morceaux de viande. Ou du moins, de substances animales.

Elle est le genre de femme qui se rend dans un abattoir afin de récupérer les cornes des animaux qui y sont exécutés, et ce, dans le but de les sculpter. Elle les enfouit pendant une année entière dans la terre de sa cour arrière afin d'éviter la propagation de microbes et le temps que les vers finissent de grignoter les poils et la chair résiduels. Ensuite, elle fait bouillir lesdites carcasses dans l'eau de Javel afin de les stériliser. C'est une étape délicate. Les résultats de ces actions insolites se retrouvent dans l'aquarium du lézard du moment.

Elle peut mettre toute sa concentration à la réussite d'une entreprise visant à ramener à pied et à l'aide de son diable, une roche de 300 livres trouvée, ou volée, à une dizaine de kilomètres de chez elle, mais elle a parfois de la difficulté à se souvenir de mon nom, enchaînant celui de tous les membres de ma famille incluant les mammifères et les reptiles avant de tomber sur le bon, le mien, et ce, de façon récurrente. Lors de la dernière célébration de la fête des Mères, ma créatrice a reçu un banc de scie. Vers 23 h, elle a cru bon d'essayer son nouvel outil sans supervision filiale et s'est charcuté le majeur et l'index. Elle a haussé les épaules et s'est rendue à l'urgence avec ses bouts de doigts dans un des vieux sacs de pain en plastique qu'elle récupère. Ses résidus de doigts n'étaient pas assez gros pour être recousus et ma mère a émis le désir de les garder en souvenir. Je ne sais toujours pas ce qu'elle en a fait, ils sont peut-être dans son coffre à bijoux, à côté de ses boucles d'oreille en plume d'émeu et de ses stretcheurs en dent de crocodile achetés en toute illégalité sur Ebay.

Ma mère m'a donné mon cordon ombilical séché de façon cérémonieuse lorsque j'ai emménagé dans mon premier appartement. Cela symbolisait pour elle la fin de notre lien parent-enfant. Elle m'a aussi offert sa bague de fiançailles, au cas où je voudrais la vendre dans un moment de pauvreté. Ma mère est capable du meilleur comme du pire mais l'important, c'est qu'elle trouve toujours beaucoup de pertinence dans chacune de ses actions et pour cela, je ne peux que l'admirer. Je trouve déplorable qu'elle ne soit pas née à la bonne époque. Elle aurait fait une magnifique Viking.

Si ma génitrice a comparé mon nouvel appartement à un trou d'héroïnomanes, c'est qu'il y avait quelque chose d'alarmant quant à la propreté des lieux. Lors de la visite qui nous a conquises, mon amie Nini et moi, nous avons perçu le potentiel de ce taudis.

Au treizième étage, le loft fait tout le coin de l'immeuble et les fenêtres couvrent la totalité des murs. Nous avons la plus splendide vue de Montréal. Nous pouvons admirer les Laurentides, en passant par le mont Royal, et notre regard se pose même sur les montagnes de la Rive-Sud. Les levers et couchers de soleil s'étendent devant nos yeux en de magiques spectres ambrés, qui ravissent les plus sceptiques, incluant ma mère, après quelques verres de bière, servis de préférence dans un bocal en plastique rempli de gel qu'on doit mettre au congélateur au préalable afin que ledit gel se transforme en glace.

El Tornado y habite depuis plusieurs années déjà, mais n'a jamais arrangé les lieux de manière fonctionnelle. Avec Nini, on a peint, nettoyé, brossé, désinfecté et dégueulé pendant des semaines. El Tornado n'a pas remarqué le réaménagement et l'allure améliorée de notre logement. Il ne remarque jamais rien. Il est imperméable à toute situation qui ne l'implique pas directement. Il est aussi trop occupé pour acheter du papier de toilette. Je me demande comment il s'occupe de son hygiène génitale puisque ça fait quelques semaines que Nini et moi n'achetons du papier de toilette que pour nous-mêmes.

Nini est charmante. Je m'étonne de ne pas trouver sa présence lourde. Elle me demande de l'accompagner partout où elle va. Je la suis dans les allées d'épicerie, la regarde choisir des boîtes de Pogos et de Pizza Pochettes, des fromages hors de prix et de la nourriture humide pour les chats. Je la talonne lorsqu'elle a besoin de magasiner, restant des heures aux portes d'une cabine d'essayage pour lui donner mon avis sur ses diverses combinaisons de vêtements. Je me sens essentielle à sa vie et c'est une sensation ravissante.

On cogne à la porte. Je referme mon grand écart et me précipite en courant vers l'origine du bruit. Gab, tout sourire, se tient devant moi, fière d'être encore à l'heure. Elle fait des progrès. La demi-lune de ses lèvres affiche une satisfaction condescendante. Je retourne à mon tapis moelleux pendant qu'elle déroule son tapis de yoga fané par de constants trimbalements. En ignorant ma présence, elle retire ses vêtements pour ne conserver que son string en dentelle noire et enfile aussitôt une camisole blanche ajustée qui laisse entrevoir ses mamelons brunâtres ainsi qu'un pantalon en lycra. Elle est dans une forme spectaculaire. Elle se tient assise en indien au centre de son tapis, prend quelques profondes respirations et amorce en silence sa méditation pendant que je glousse d'inconfort comme à chaque fois. J'ai peur de la déranger dans son recueillement avec mon échauffement approximatif. Sa routine de préparation physique n'a pas changé depuis que je la connais. Au début, elle agissait en tant que mentor auprès de moi et m'a montré sa routine quotidienne, ses exercices. Je me suis appropriée son mode d'entraînement, en ajoutant ma touche personnelle. Parfois, il lui arrive d'essayer certains exercices que je crée, mais elle se sent inconfortable au sein de cet étalage de nouveauté et revient à son enchaînement réconfortant.

On s'entend, dans notre sérieux, notre manière de voir l'art, de le pratiquer. Elle est le complément dont j'ai besoin pour me pousser à la perfection, et je suis l'aide-mémoire qui lui rappelle qu'on ne peut pas tout contrôler. Je suis probotchage.

Gab me parle d'un projet qu'elle caresse depuis plusieurs mois, du bout de ses doigts anguleux. Ayant reçu une bourse de plusieurs milliers de dollars, elle voudrait réunir quatre ou cinq artistes et faire de la recherche, trouver un langage gestuel propre à la danse et aux arts du cirque. Elle veut que j'en fasse partie et je suis touchée. Mais peut-être est-ce aussi parce que je sens sa main sur mes hanches pour l'exécution d'un mouvement difficile. Son toucher dérive vers le pourtour de mes fesses. Ça doit être nécessaire.

Depuis que je la connais, j'aspire à travailler avec elle, à être à ses côtés sur une scène. J'enfouis cette révélation au fond de ma tête pour l'oublier. Je ne veux pas risquer d'être déçue si ce projet n'a pas de suite.

Lorsque nos muscles déclarent forfait et que l'entraînement prend fin après quatre heures treize minutes de travail, je remets le tapis sous le divan et fais disparaître les moutons poussiéreux qui roulent sur le plancher au gré du vent. Petites voitures fantômes. J'essaie d'éviter le regard de Gab. J'ai peur de moi-même, peur de déterrer les restes d'affection toxique que j'ai pour elle.

— Qu'est-ce que tu fais ce soir ?

— Je ne sais pas trop. Je pars demain pour Paris et je vais faire quelque chose de relaxant je crois. Et toi ?

— Je vais prendre un verre avec mon ex…

J'ai l'impression qu'elle veut insérer dans la conversation le fait qu'elle n'est plus avec sa copine. C'est d'une subtilité alarmante.

— Laquelle ? dis-je malgré moi.

— Euh, la dernière.

Elle affiche l'air contrit approprié dans de telles circonstances et je prononce les paroles d'apaisement adéquates. Quoi de plus naturel que de réconforter une personne jadis aimée et maintenant blessée par une autre ? Avant de partir, elle déleste un peu de lourdeur chez moi, juste assez pour que celle-ci se contorsionne à travers les trous noirs de mon corps. Putain.

Après un rangement rapide de l'appartement, je me fais un gros bol de café avec du pudding au chocolat et je me remets à la lecture de mon roman. Que pourrais-je bien faire d'autre ? Quelques minutes s'écoulent, douces et coquines, avant que mon téléphone sonne.

— Allo.

— SalutKirac'estGab.

Elle tient à se nommer. Encore. Je reconnais sa voix depuis le premier coup de téléphone qu'elle m'a donné il y a deux ans après un cunnilingus dans un coin noir qui a généré en elle assez de bien-être pour la pousser à me rappeler. Elle en voulait plus.

— Oui.

Je m'aperçois que je maquille mal mon agacement face à l'obligation d'interrompre mon roman si prenant.

— Mon ex vient d'annuler notre rendez-vous. Aurais-tuenvied'allerdansercesoiravecquelquesamis?

Encore ce scotchage de mots…

— Euh, attends deux secondes.

Je fais mine d'aller baisser le son de la musique ambiante, le CD de Tom Yorke, tout en songeant aux conséquences de ma réponse.

D'un côté, une soirée asociale avec un roman tragique comme seul ami mais la tête reposée pour prendre l'avion demain.

De l'autre, une virée éblouissante, une tête dans le cul assurée, beaucoup de plaisir, des centaines de calories dépensées en dansant et la possibilité ambiguë de recoucher avec une ancienne amante qui m'a envoyée balader il y a six mois. Je colle à nouveau le combiné du téléphone à mon oreille.

— Vers quelle heure?

— Tu peux passer chez moi dans deux heures?

— Oui, OK. À tantôt.

J'envoie valser le reste de mon pudding au chocolat au fond de la poubelle en me promettant de ne plus jamais acheter ces produits en poudre sans gras, sans saveur et sans retour.

Je prends ma douche, en sandales cette fois-ci, et enfile une robe rouge. Je me barbouille la face d'un maquillage léger, avant de vérifier si mes bagages pour Paris sont complétés, dans le cas où je ne passerais pas la matinée à la maison. Je gagne le métro, me farcis les quarante minutes nécessaires pour me rendre chez elle, et à neuf heures cinquante-cinq, je suis aux limites de l'île, mon île virtuelle qui dépasse à peine le Plateau. À ce moment-là, je suis loin de me douter que mon doigt est dans l'engrenage et qu'il sera suivi par la totalité de mon corps inconscient. Je me suis toujours demandé ce qui se serait produit si j'avais refusé l'invitation inopinée de Gab. J'aurais fini par retrouver l'engrenage maudit quelque part au sein de mon parcours vicié. Il est inutile d'essayer de cacher une botte de foin derrière une aiguille.

6

GAB HABITE DANS UN BOUT sordide de Saint-Michel. Lorsque je débarque du bus et que je me mets à marcher en direction de chez elle, je suis témoin d'une conversation alarmante dans laquelle les protagonistes, âgés de moins de treize ans, planifient de scabreuses activités en égorgeant la langue française de leur jargon montréalais. Les garçons se perdent sous des mètres cubes de tissu qui affichent des gangsters à la prunelle vindicative. Les filles semblent vénérer le jeans peu flatteur qui compresse leurs tailles boudinées, basanées par le bronzage en canne. Elles s'empressent de glousser lorsqu'un des membres masculins de leur groupe dégueule une plaisanterie sexiste à mon sujet. Je suis trop préoccupée par le déroulement de ma future soirée pour entendre les persiflages qui effleurent mon oreille.

Je ne sais jamais quoi dire à l'intercom de Gab. Est-ce nécessaire de parler, de dire bonjour, de me nommer? Je suis la seule personne à nourrir ces angoisses illégitimes. J'appuie sur le bouton où est inscrit à la main le nom de mon amie. Un homme au teint blafard pousse la porte du building afin d'en sortir. J'en profite pour pénétrer dans l'immeuble, soulagée d'avoir été épargnée par l'intercom. Je gravis les marches de l'escalier, tourne à gauche au bout de quatre étages et cogne à la porte où une affiche du Cirque du Soleil se déploie. Gab a remplacé une danseuse en congé de maternité pendant quelques mois dans un spectacle du Cirque, ce qui lui a permis d'apprendre quelques acrobaties et de créer un style de danse hybride. Elle est devenue une danseuse et chorégraphe estimée suite à cela. Je crois déceler mon amie sous les couches d'un maquillage digne du Carnaval de Rio. J'étouffe un rire franc en étudiant le costume que porte Gab, à mi-chemin entre un extra-terrestre et les restes de papier d'emballage du Noël 1976.

La porte s'ouvre sur le corps à moitié nu de ma partenaire d'entraînement, enroulé dans une serviette bleue. Malgré moi, je la scrute de bas en haut. L'eau ruisselle sur ses muscles longilignes. Elle secoue la tête pour repousser sa chevelure de jais de son visage étonné. Des gouttelettes d'eau se mêlent à ses taches de rousseur parfaitement saupoudrées sur son visage oblong. Je lui montre l'horloge canari qui trône au-dessus de son comptoir en pierres luisantes.

— Désolée Kira, j'ai pas remarqué qu'il était déjà si tard. J'ai pas vu le temps passer.

La seconde suivante, je me retrouve avec un billet de vingt dollars chiffonné entre les doigts.

— Veux-tu aller chercher de la bière au dépanneur pendant que je finis de me préparer?

J'obtempère, fière de la tâche qui m'est confiée. J'adore acheter de l'alcool avec l'argent d'autrui.

L'établissement du coin est tenu par un vieillard asiatique à l'air coupable qui, on dirait, s'excuse de son existence. Je fais un petit signe de tête au commis qui lit un vieux journal chinois en tremblotant derrière son comptoir submergé par des contenants de jujubes vendus à la pièce et je me dirige au fond du commerce en quête d'une boisson susceptible de me griser. De retour à la caisse, le vieillard flétri baragouine en anglais le montant de mon achat et lorsque je lui donne le billet de vingt que Gab m'a remis, il l'examine avec un air suspicieux avant de le regarder face à une lampe infestée de mouches variées. Satisfait de la véracité de l'argent, le vieillard le dépose dans sa caisse enregistreuse à côté de ses congénères et me redonne quelques sous noirs américains. Les biscuits au chocolat me font des yeux doux lorsque j'empoigne mon achat alcoolisé mais je leur dis « *non* », fermement.

Chez Gab, je dépose sur la table les Guiness achetées à un prix exorbitant et me mets à admirer le luxe qui se déploie devant moi. Avant d'aménager à Montréal, je squattais ici lorsque je venais faire des stages de danse ou lorsque Gab m'invitait à m'entraîner avec elle. Tout cela n'était prétexte bien sûr qu'à me garder à proximité pour me baiser quand l'envie la prenait. J'ai pris l'habitude de flâner pendant des heures dans sa baignoire en sirotant un verre de riesling. Pour moi, vivre à Montréal signifiait habiter dans un appartement splendide, rien d'autre. Je laissais la lumière extérieure m'éblouir alors que je méditais sur ma future vie dans cette ville grandiose, avec Gab. Lorsque je suis arrivée dans mon appartement sur la rue des Érables, un logement que j'avais réservé via Internet sur le coup d'une rare impulsivité alors que je travaillais au Mexique, une profonde déception m'a assaillie. La chambre était à peine assez grande pour contenir mon lit double. J'ai dû laisser tous mes meubles dans le sous-sol maternel à l'exception de ma penderie, qui créchait par nécessité dans mon nouveau salon au plancher croche. Je choisissais mes sous-vêtements quotidiens au milieu de l'appartement, sous l'œil amusé de mon colocataire français. Ses abominables chats se sont empressés d'uriner sur mon lit blanc le jour où j'ai reçu le courriel de Gab. J'ai dû attendre un cycle de lavage et un cycle de séchage complet avant de pouvoir chigner entre mes oreillers d'où s'échappe encore aujourd'hui une subtile odeur de charogne. Unité Branchée Glade, arôme « Musc de fauve ».

Au sein de cette rumination de beaux souvenirs, le hurlement grinçant de la sonnette.

Je prends dans ma main gauche le combiné de l'intercom et enfonce mon auriculaire dans le trou qui a jadis abrité un bouton permettant d'ouvrir la porte extérieure à distance. Je fouille à l'aide de mon petit doigt la cavité laissée par feu le bouton et tente de trouver les résidus du mécanisme. Le lointain son métallique d'une porte qui s'ouvre et se referme m'indique que je n'ai pas failli à ma tâche.

Je m'affaire à décapsuler une des Guiness qui m'attendent cordées sur la table de mélamine, histoire de me donner une contenance.

L'ami de Gab pénètre dans l'appartement. Je prends une gorgée de ma Guiness et le liquide brunâtre descend dans ma gorge. Il s'accroche comme un sirop contre la toux aux parois de mon œsophage. Je souris à l'homme devant moi en essayant de paraître concernée par sa présence dans la pièce. Tentative vaine.

Tom mesure cinq centimètres de plus que moi et ses cheveux châtains en broussaille lui donnent un air de gamin attendrissant malgré ses quarante ans. La première fois que je l'ai vu, il se démenait sur une scène et tentait de faire rire le public avec ses prouesses acrobatiques dans un spectacle de danse qu'avait dirigé Gab. J'ai aussitôt remarqué son énergie contagieuse mais j'ai été déçue d'apprendre qu'il était marié et qu'il avait une fille. Quand je parle de déception, je peux comparer cela au même sentiment qui m'a habitée lorsque j'ai appris que Johnny Depp venait d'épouser une jeune Française, et que cette fille n'était pas moi.

Nous ne nous sommes pas rencontrés cette fois-là.

Quand il m'a vue chez Gab pour la première fois, il a dit que j'étais jolie.

J'ai baissé les yeux et rougi. Il a énoncé cela comme si je n'étais pas présente dans la pièce et j'ai eu l'impression d'être témoin d'une conversation que je n'aurais pas dû entendre. Étais-je jolie par rapport à d'autres filles que Gab invitait chez elle ?

Je ne suis pas une belle femme. Mes traits enfantins et mes joues hypertrophiées me rendent peu crédible. J'aimerais mordre l'excédent de mes joues pour recracher le tout et coudre la plaie laissée par mon autochirurgie. L'année dernière, la maquilleuse d'une session de photos de mode m'a lancée, alors qu'elle essayait de découper à l'aide d'un fard mes pommettes lipidiques :

— T'as quel âge ma chérie ? T'as l'air pas mal jeune.

Elle a surenchéri, comme pour justifier sa question précédente :

— T'as pas encore perdu tes joues de bébé.

J'avais vingt ans. Je me suis dit qu'elles n'allaient jamais fondre, ces bajoues qui m'avaient valu un surnom aussi légitime que disgracieux — *Badjoues* — inauguré par l'amant crème glacée napolitaine.

Lors du dernier réveillon, Tom et moi avions discuté, tous les deux éméchés par l'alcool, l'ecstasy et les joints consommés. Il regardait ailleurs à la recherche de quelqu'un de plus pertinent avec qui s'amuser et j'en avais déduit que c'était le genre d'homme qui se foutait de tout. De lui-même et, plus particulièrement, de moi. Mais à ce moment-là, j'avais Gab dans ma tête et rien d'autre.

Il semble étonné de me voir chez Gab. Il doit se dire qu'on a recommencé à coucher ensemble. Je ne m'empresse pas de démentir ses soupçons silencieux. Il sort de sa poche une enveloppe en plastique contenant du papier à rouler et de la marijuana. On amorce une conversation, on échange des banalités de milieu du cirque corporatif: les contrats qu'on vient de faire et les prochains. Des faire-valoir puérils qui jonchent nos discussions d'artistes autonomes en quête de reconnaissance. C'est triste. Je lui confie avec angoisse l'avènement de ce périple à Paris pour *Le plus grand Cabaret du Monde*, certaine que cette bombe aura un effet magique sur mon interlocuteur. Tom daigne lever le regard et délaisse son joint pour quelques minutes.

— C'est drôle que tu parles de ça parce que je suis allé à cette émission y a un mois. Man, j'ai raté ma finale quatre fois et j'ai jamais réussi mon dernier truc. C'tait ridicule.

Il est donc humain.

Il se met à rire de bon cœur et je glousse avec lui, satisfaite d'avoir généré un tel engouement avec mon sujet de conversation.

— Man, j'ai tellement mal à c'te muscle-là. J'ai un peu abusé dans mon entraînement hier.

Il me pointe le petit muscle traître qui jouxte la face extérieure du tibia. Flairant un autre sujet de discussion qui pourrait remplir les deux ou trois minutes suivantes, je saute sur l'occasion et lui explique que je viens de suivre un stage de flexibilité extrême et que j'ai un exercice à lui montrer. Il se lève, non sans me servir ce regard révélant une parcelle de concupiscence face à l'étendue de ma flexibilité, et dépose sa cheville sur le comptoir en tordant son pied comme je le lui indique. Heureux d'avoir trouvé un remède à ses courbatures, il me regarde et me fait un clin d'œil complice. Je remarque une étincelle d'intérêt dans son expression et je rougis comme un jouvenceau roux devant la poitrine opulente d'une danseuse nue.

Gab arrive, l'effluve de son parfum la suit comme un chien en quête de nourriture. Elle prend place à la table et demande des nouvelles de Tom. Quelques bières plus tard, nous nous dirigeons vers le Vinyl Lounge, un endroit que Gab a repéré dans le journal culturel hebdomadaire. Tout en m'installant sur sa moto, je fais l'inventaire de ce qu'elle a consommé. Elle ne devrait pas conduire dans son état mais je déteste être rabat-joie. Je n'ai pas peur de mourir, j'ai seulement la trouille de ne pas avoir assez vécu.

1

L'ÉTABLISSEMENT EST PRESQUE DÉSERT. Quelques personnes sont attablées au bar et se retournent lorsque nous poussons la porte des lieux. L'ambiance pop détonne avec la tendance boudoir de la décoration. Les murs sont ornés de velours rouge. Nous enlevons nos chandails et accessoires divers avant de les déposer derrière le divan au fond de la pièce. Les deux amis se dépêchent d'aller commander des boissons.

— Qu'est-ce que ça te tente de boire ?

— Mmm, un mojito. Merci Gab.

Je regarde autour de moi en tentant de me donner des airs détendus, mais je suis troublée d'être seule avec Gab et Tom. Ils reviennent avec mon mojito et des whiskys cola. Leur cocktail ne me branche pas mais puisque j'exècre l'achat d'alcool encore plus, je me donne la permission de boire dans leurs verres lorsque je sens que je n'ai pas encore atteint le degré d'ivresse nécessaire à mon dévergondage. Ils semblent ravis de me voir suçoter dans leurs pailles et moi, je suis heureuse de faire des économies d'argent. Tout le monde y trouve son compte.

Lorsque le DJ installe son matériel, Gab se précipite sur la piste de danse. Elle attend les premières notes de musique avant de se tortiller comme une gamine surexcitée. Elle entre dans une transe et son corps dérive vers une symphonie de mouvements qui, sans être inesthétiques, semblent décalés par rapport à ce qu'on s'attend à voir sur la piste de danse d'un club. Parfois, je me joins à elle et on en profite pour assimiler les diverses techniques de portés qu'on a apprises dans le cadre de stages. Sans être dénué de sensualité, ce travail en duo consiste à guider tour à tour les mouvements de l'autre en utilisant divers points de contact corporels. On peut y intégrer des figures acrobatiques et l'ultime apogée de cet art pour Gab serait de codifier un langage du mouvement dans le but d'improviser lors de spectacles. C'est une de ces expériences qui vous propulsent vers l'infini, comme une impression de vacuité insaisissable.

Je n'ai aucune envie d'aller la rejoindre lorsque je la vois entreprendre une de ses études du mouvement. C'est terminé entre nous deux. Elle est devenue une chose effacée, un voile transparent que je n'ai qu'à écarter afin de continuer mon chemin. Je me soupçonne de l'avoir aimée en confondant l'admiration que j'ai pour elle avec un sentiment de nature plus profonde. C'est la seule femme avec qui j'ai eu une relation et je crois qu'elle sera la dernière. J'entends une voix, en trame de fond de ma pensée :

— Veux-tu un autre verre ?

Tom me fait émerger. Je regarde au fond de mon verre. Quelques feuilles de menthe flétries s'étalent sur les glaçons à moitié fondus, la limette écrabouillée boude de l'autre côté du verre. Je décline son offre en le dévisageant, m'attardant sur sa jolie chemise blanche avec des imprimés crème dont les trois premiers boutons sont ouverts. J'entrevois son torse imberbe et je me dis qu'il semble doux. Il est rare qu'un physique me séduise, en raison de ma vision saturée de beaux corps masculins. Mon métier autorise et exige de nombreux contacts physiques. Je ne vois rien d'extraordinaire au fait d'apercevoir un homme avec une physionomie rappelant celle de Ken. Cette histoire de performance sexuelle en proportion avec le pourcentage de masse musculaire chez l'homme est une idée aussi irréelle que scientifiquement démentie. C'est un peu comme la souplesse des femelles.

— T'as pas l'air d'être une grosse buveuse.

— J'ai un peu trop abusé la dernière fois et j'ai encore mal au cœur quand je bois plus qu'un verre. C'est comme si mon corps se souvenait de mes bêtises.

À défaut de pouvoir m'offrir une autre consommation, il me prend par la main et me guide en direction des courageux fêtards qui se sont aventurés dans le même mètre carré que Gab. Celle-ci pirouette dans une hystérie notable et ne semble pas remarquer les autres danseurs qui défient ses coups de pied involontaires. Ses membres infinis tournoient en happant tout ce qui se trouve sur son passage. Tom et moi entamons une série de déhanchements et de fanfaronnades, riant, grisés par la musique et la présence de l'autre. Je jette quelques coups d'œil vers Gab, m'assurant que celle-ci ne remarque pas le plaisir que j'ai à danser avec son ami mais elle n'a aucune conscience du monde extérieur. Je me sens bien pour la première fois depuis longtemps. Nos attouchements prudents font office de plaisanterie. Parfois, il approche son visage du mien et j'ai des palpitations, surenchéries par des ondes de choc le long de ma colonne. Plus je m'émoustille avec Tom, plus j'entends la voix de Nini qui me supplie d'arrêter de frôler le torse de cet artiste tourmenté. Je m'excuse auprès de mon partenaire et je me dirige vers la salle de bain en espérant qu'il regarde bien, pendant que je m'éloigne, le roulement suave de mon bassin, ma sensualité mystérieuse. Contradiction.

Les installations sanitaires sont miteuses. De nombreux amoncellements de papier brun jonchent le sol. Certains sont à moitié chiffonnés et humides et d'autres ont été jetés, inutilisés. Le robinet laisse une trace cuivrée sur le bassin du lavabo. Une machine distributrice nous promet l'obtention d'échantillons de parfum, de condoms et de spray contre la mauvaise haleine, en échange d'une pièce de un dollar. Machine précopulatoire.

Je retourne vers notre table et m'effondre sur la chaise la plus accessible. Je rassemble mes idées éparpillées un peu partout à travers le Vinyl Lounge. Certaines s'affairent sur Tom, qui me regarde le regarder tandis que les autres ricochent ici et là, sans but précis. Gab échoue à mes côtés comme si elle guettait ma solitude. Elle me frictionne le dos avec fébrilité. Des perles de sueur dégouttent de ses tempes et entre ses seins fiers, dressés. Ses yeux violets tentent de transpercer ma carapace de douleurs passées. Satisfaite de l'effet produit, elle me crache ce qui la titillait depuis le début de la soirée :

— Est-cequet'auraisenviederesterunpeuchez-moicesoir ?

Bouffée de chaleur. L'angoisse m'envahit. Je m'empare d'un des verres de whisky cola et y prends trois bonnes gorgées qui descendent dans ma gorge comme une limonade. Je me revois en train de danser avec Tom et je me surprends à vouloir que cette ivresse ne s'arrête jamais.

J'ai un plan.

— Ouais, lets go. Je vais chercher Tom.

Gab n'a pas le temps de faire objection. Je déniche Tom au milieu d'un groupe de danseurs, le prends par la main et lui dis :

— Sauve-moi, viens chez Gab avec moi, je ne veux pas être toute seule avec elle.

Il me suit sans poser de question et je lâche un soupir de soulagement en le guidant vers la sortie.

— Man, j'pense pas que je peux conduire.

Tom titube avant de s'accrocher à mes épaules. Je crois sentir ses lèvres près de mon oreille, mais peut-être pas.

— Je vais conduire moi. J'ai juste pris un verre.

Gab part de son côté et je me dirige avec Tom en direction de sa voiture. Je ne parviens pas à me concentrer sur ce que raconte mon passager et je n'ai aucun souvenir du trajet menant à l'appartement de Gab, sauf peut-être un vague inconfort au moment où j'ai fait crier la boîte de transmission de la voiture de Tom lors du démarrage en pleine côte abrupte.

8

Je suis assise sur le tapis noir dans le salon de mon ancienne amante. J'ai un joint à moitié entamé entre le pouce et l'index droits et je songe à ma déchéance en devenir. Le grésillement du joint qui se consume m'apaise un peu lorsque j'en aspire la fumée. Tom s'amuse à ébranler mes convictions en frôlant parfois ma main gauche, en jouant à entremêler ses pieds avec les miens. Son souffle fait frémir le duvet de ma nuque. Les petits poils dansent en riant de mon angoisse.

Mon malaise s'accentue lorsque je surprends Gab à s'adonner au même type d'activité. L'une et l'autre sont-ils conscients de ne pas être seuls dans la course pour ma séduction ? Je divague entre deux états seconds. J'ai une envie irrépressible de m'abandonner à Tom. J'ai l'impression d'être la réponse au chaos de sa vie. Ça fait longtemps qu'on m'a fait sentir si importante. J'envisage avec difficulté l'option de déguerpir avec lui en ignorant la présence de Gab. Le fait que je sois chez elle m'enlève toute envie de lui fausser compagnie. Je n'aime pas repousser les gens. J'ai peur de les blesser. Une femme vexée dans son rôle de séductrice peut devenir irrationnelle et vindicative.

À l'aube, Gab se lève pour se rendre à la salle de bain. Elle ne marche pas, elle flotte. Les ondulations que produit son corps complètent l'image idyllique de la femme fatale qu'elle incarne avec un naturel déroutant. Mon cœur se met alors à vriller dans tous les sens lorsque Tom pose sa tête entre mes jambes croisées en indien. Il couine d'aisance en roulant des yeux alors que moi, j'ai l'impression de commettre un acte de haute trahison contre Gab. Je m'attends à voir celle-ci revenir vers nous, le visage déconfit en constatant notre duo en voie de préliminaires. Je ris avec nervosité lorsque Tom caresse mon ventre. Je me dégage de son étreinte jouissive, mon sourire se crispe. Je ne sais plus si j'ai envie de quoi que ce soit.

Tom se lève soudain, prétextant un rendez-vous important tôt en matinée, il ajuste sa chemise et me lance un regard de biche blessée. Il est déçu de ne pas avoir obtenu ce qu'il est venu chercher chez moi. Je le raccompagne à la porte et l'enlace plus érotiquement que je ne l'aurais souhaité en lui susurrant :

— À la prochaine Tom.

— Man, j'espère qu'il y en aura une, prochaine.

Sa sincérité me déroute. Je lui donne une petite tape sur l'épaule en signe de camaraderie mais tout ce que j'ai envie de faire, c'est de le serrer encore dans mes bras pour qu'il m'appartienne. Je dois être désespérée pour avoir de telles pensées.

Gab se tortille d'inconfort en face de notre désir. Elle s'éclipse de nouveau à la salle de bain d'où émerge quelques instants plus tard un bruit de brossage de dents. Elle se prépare pour notre accouplement.

Tom entame quelques pas hésitants dans le couloir désert de l'immeuble et referme la porte derrière lui en me laissant avec mes désirs, mes déceptions et ma pétasserie avortée. Le bruit de la porte qui claque en se refermant a un caractère grave et définitif. Je pose une main sur un des murs du vestibule, sentant monter en moi un mélange de suffocation et d'ivresse nauséeuse. J'ai l'impression de laisser filer le reste de ma vie.

La porte s'ouvre à nouveau et sans que j'aie le temps de répliquer, je suis plaquée contre le mur derrière moi pendant qu'une main audacieuse se faufile jusque sous ma robe. Je sens une apaisante chaleur gagner mon entrejambes.

— J'ai tellement envie de toi putain !

Ces paroles explosent dans ma tête en un millier de particules qui me grisent le cerveau. Je ne sais pas quoi faire. Je suis possédée de désir et pourtant, j'ai l'impression d'avoir douze ans et d'ignorer le fonctionnement d'une séance de préliminaires.

— T'as envie de moi ? Dis-moi que tu me veux.

En me tortillant, je regarde en direction de la salle de bain, là où Gab semble s'éterniser. Tom comprend ma position difficile.

— Veux-tu qu'on fasse ça à trois?

— Je ne sais pas, je... peux-tu aller t'arranger avec Gab?

Je ne veux pas avoir le rôle de l'instigatrice du projet érotique à membres multiples. Ça me rend moins coupable.

— Euh, oui, j'imagine. Si ça ne la dérange pas d'inclure un mec.

Lorsque Gab ouvre la porte des toilettes, je me précipite à l'intérieur de la pièce en ignorant ses regards interrogateurs. Derrière la porte, je les entends discuter en toute convivialité.

— Gab, tu me prêtes ta brosse à dents?

J'attends à peine sa réponse avant de fourrer dans ma bouche l'instrument salutaire. Je me mets à frotter avec frénésie pour exorciser mon effroi grandissant.

9

Des bras s'enroulent autour de ma taille et m'attirent contre un corps brûlant. Tom me fait signe de le suivre et nous escaladons l'escalier qui débouche sur la mezzanine. Je prends appui sur le mur et colle à moi cet homme qui, malgré son âge avancé, semble avoir conservé la vigueur d'un adolescent de seize ans, quoique, à bien y penser, je n'aie jamais couché avec un garçon de cet âge. J'approche mes lèvres fébriles des siennes. Le moment qui précède tout attouchement est infiniment précieux. Sa salive sucrée aux effluves de Coca-Cola et de marijuana se mêle à la mienne. Après quelques tourbillons de langues, nous arrêtons notre danse buccale. Il a des yeux mélancoliques et heureux à la fois. J'espère être la raison de ce bonheur. Ils sont entourés de rides qui trahissent son parcours de vie. Son regard attendri aime trop. Peut-être aime-t-il trop de choses à la fois.

Ses joues sont creuses et confiantes, je les caresse de mes doigts envieux. Ceux-ci bifurquent vers la peau satinée de son cou, chaud et odorant, qui me rappelle les pierres brûlantes qui jouxtent la voie ferrée derrière la maison paternelle. J'y enfouis mon nez afin de le respirer et de ne jamais oublier cette odeur. Je tremble d'émotion et même si j'essayais de camoufler mon angoisse, je n'y arriverais pas.

Lorsque je penche ma tête vers lui pour l'embrasser encore, il s'excuse et emprunte les escaliers, d'où je vois monter Gab. Elle m'embrasse tout en me poussant vers un matelas posé à même le sol. Ses lèvres goûtent la menthe, avec un fond d'alcool. Guidée par l'excitation, elle empoigne le bas de ma robe et la fait glisser vers le haut. Je lève les bras pour laisser passer le convoi de tissu qu'elle jette sur le sol parmi une pile de vêtements propres non pliés. Je me souviens avoir maintes fois plié ses camisoles hors de prix, ses pantalons griffés, pour qu'elle ait plus de temps à m'accorder au sein de son horaire dément. C'est ce que les femmes font, j'imagine.

— Attends Gab. As-tu des condoms?

Je ne veux pas me faire avoir encore une fois. Et je veux surtout m'assurer de pouvoir coucher avec Tom.

— Non.

Putain.

J'effleure la boucle de sa ceinture et la détache en descendant sur elle. Je vagabonde sur chacun des muscles divins qui se déploient sous ma langue. Un corps bouillant vient se blottir sur mon dos pendant que j'enfouis ma langue à l'intérieur de Gab en sentant son désir couler entre mes joues. Tom embrasse mes omoplates, ma colonne vertébrale. Sa barbe naissante sur ma peau qui frémit. Il glisse sa main jusqu'à mon sexe qui commence à couler d'excitation. Je me retourne vers Tom en continuant de masser le clitoris de Gab. J'hésite à l'embrasser, ignorant s'il tient à goûter son amie à travers moi. Il ne semble pas préoccupé par ce détail gustatif et fonce sur mes lèvres. Je me demande, en sentant mon bas-ventre palpiter, si mon excitation est dissociable : j'ai l'impression de voir l'infini dans les caresses de Tom, mais de retrouver au sein des attouchements de Gab, quoique très plaisants, une série d'exercices sexuels. Pourtant, ses caresses ont toujours été suaves. Peut-être est-ce l'effet de la nouveauté. Tom s'est lui-même déshabillé mais il ne bande pas encore. Je le prends dans ma bouche en espérant attiser son désir. Gab, à ma droite, sort un godemiché en verre et me pénètre avec assurance. Je gémis pour exciter Tom avec cette vision pornographique. Je retire de ma bouche son pénis encore mou. Il me dit qu'il est trop gelé. Je ne sais pas comment le rassurer et même si je le faisais, j'aurais l'air d'avoir pitié de lui. Est-ce qu'il comprendrait si je lui disais que ça m'est égal que nous ne fassions rien ensemble ? J'ai l'impression que nous aurons l'occasion de nous revoir. Je pourrais le tenir dans mes bras toute la nuit, bercer son inconfort, le mien aussi, et être satisfaite de notre collision momentanée.

Gab se lève et prend quelques gorgées d'eau dans un verre qui traîne sur la table de nuit. J'enfourche

Tom sans le prendre en moi, glissant de haut en bas sur son sexe qui semble se réveiller peu à peu. Je n'ai jamais eu à susciter l'érection d'un homme. Je ne m'occupe jamais de cela, comptant sur ma nudité pour faire le travail. Peut-être ne suis-je pas assez à son goût.

Tom colle son visage sur le mien et semble avoir besoin de mes lèvres pour survivre. Je me sens lasse de faire ce va-et-vient sans pénétration et, voyant mon inconfort, Tom me demande:

— On fait ça pour toi ou pour moi?

Embarras.

— Euh, je pensais que c'était pour toi...

— Qu'est-ce qu'il faut que je fasse pour que tu viennes? Dis-moi...

Je n'en ai pas la moindre idée. Ça fait trop longtemps que je baise pour les autres. Je suis capable de venir dans mon sommeil, mais jamais avec quelqu'un.

Tom, dans un râle rauque et plaintif, vient sur son ventre veiné pendant qu'un sentiment mitigé me paralyse. Je suis désolée de ne pas trouver avec Tom la connexion sexuelle si prometteuse d'il y a quelques instants. Je voudrais reformater nos cerveaux et tout recommencer. Je lui tends un papier mouchoir et j'en prends un pour moi, que je colle entre mes jambes afin d'éponger les restes de sueur et de fluides. Gab me projette sur le dos et me donne un autre godemiché pour que je la pénètre. Le mouchoir dans ma main glisse sur les draps en bataille et je me dis qu'il faudra que je me rappelle de le jeter suite à nos ébats. Nous enchaînons quelques positions. Je regarde Tom, qui me regarde me faire baiser par son amie et j'essaie de lui prouver que je suis encore motivée, mais je crois que je joue mal le jeu car il lance :

— Gab, je pense que tu peux venir. Elle a l'air fatiguée.

Excitée par les paroles de son ami voyeur, Gab augmente la puissance de sa main droite sur son clitoris et de sa main gauche qui fait le va-et-vient dans mon sexe. Les parois de mon vagin s'engourdissent. Elle gicle sur mon ventre en poussant un soupir extatique. Nous prenons place tous ensemble sur le lit dont les draps sont éparpillés un peu partout autour du matelas. Lovée en cuillère entre les deux, je m'endors en me disant que cette position est de loin ma préférée de la soirée. La dernière chose que j'aperçois avant de sombrer, c'est l'heure sur le cadran de Gab. 7 h 14.

Secouée au milieu de ma fausse nuit, je sens Tom qui essaie de se dégager de mon étreinte. Je me rappelle qu'il a un rendez-vous important ce matin. Il pose sur ma joue rosée un baiser délicat avant de me quitter. La salive qu'il a laissée sur ma peau en m'embrassant m'émeut. Je veux me lever en même temps que lui et le raccompagner jusqu'à la porte mais je ne me sens pas la force d'amorcer un déplacement vertical. J'aimerais le revoir et encore toucher sa peau juvénile, le vénérer toute la journée. J'aimerais qu'on apprenne à être bien ensemble, j'aimerais…

Je m'endors à nouveau.

Quelque chose me réveille. Mes cils sont gommés et je ne peux pas ouvrir les yeux. J'essaie de les frotter avec mes mains mais elles ne trouvent pas le chemin adéquat, faute de coordination matinale. Je me souviens de la nuit dernière et j'identifie la cause de mon réveil. Deux doigts pleins de salive s'affairent sur mon sexe. Je sens mon bassin grouiller sous la main de Gab. Je me laisse guider avec paresse et nous baisons sans trop d'implication. Sa douceur me fait du bien et j'accepte de lui prêter mon corps, plus par amitié que par désir.

Dans la baignoire, Gab et moi évoquons l'incongruité de notre ménage à trois.

— Ouais, c'était bien, mais un peu bizarre. Je ne suis pas certaine qu'on devrait recommencer à se voir.

— Oui, t'as raison.

Peu importe le degré d'amitié qui me lie à cette femme, il est improbable que cela débouche sur une relation amoureuse satisfaisante. Je pourrais forcer la note à ce niveau, je sais que je suis capable de m'autocréer des sentiments qui n'existent pas. Être avec Gab pour ne pas être seule? Je ne sais pas. Je suis avec mon amie, je ne suis plus amoureuse d'elle. Nous prenons un bain en commun tout en discutant l'arrêt de nos rencontres à caractère sexuel. C'est tout.

Lorsque nous considérons avoir macéré assez longtemps dans notre crasse, Gab tourne les deux robinets afin de trouver la température adéquate et se lève pour rincer, à l'aide d'une douche téléphone, les bulles de savon qui parasitent sa peau laiteuse parsemée de grains de beauté. Lorsqu'elle sort du bain, elle me tend l'instrument afin que je l'imite. Cette action immuable me fait détester la trempette en compagnie de Gab.

Nous déjeunons, accoudés au comptoir de sa cuisine aux allures et couleurs provençales. Je me contente d'une banane, que je coupe en tranches fines pour avoir l'impression qu'elle dure plus longtemps. Gab est titillée par l'envie de me poser quelques questions au sujet de mon régime inquiétant mais cela ne sert à rien de m'en parler. Elle sait que mon problème ne se résoudra pas de cette manière. Je suis bien d'accord avec elle et nous évitons d'en discuter. Tout le monde est heureux, ou presque.

— Ça te tente d'aller voir deux amis à moi qui font un show de variétés au parc Jean-Drapeau ?

— OK, mais il faut que je sois chez moi dans deux heures. Mon vol est à 17 h.

Nous nous dépêchons, dans la mesure où Gab est capable d'efficacité. Quelques secondes plus tard, prête à partir, je me réjouis de l'image distrayante de mon amie qui valse entre différentes « tâches » qu'elle croit nécessaires mais qui selon moi sont tout à fait propres à la procrastination.

Pendant mon attente, j'essaie de ressentir à nouveau le délicieux toucher de Tom sur ma peau grisée de tendresse. Dans mon fantasme imagé, nos interactions ne souffrent pas de notre inexpérience en tant que partenaires et je me plais à penser qu'il n'est pas absurde d'en arriver à cette communion, cette fusion parfaite, à force de pratique. Enivrée par ces pensées berçantes, je me demande s'il est possible que Tom ne désire plus me voir, qu'il soit rassasié par notre aventure boiteuse. J'en souffrirais quelques jours, sentant ce rejet comme un échec récurrent mais je sais qu'il en serait mieux ainsi. Mes fantasmes sont réalistes.

Dans la voiture, Gab allume la radio, ce qui nous empêche de nous sentir inconfortables au sein de silences évocateurs. Je suis incapable de générer ni même de soutenir une discussion pertinente dans une voiture. Peut-être est-ce ma phobie de mourir broyée dans un accident de la route qui me déconcentre.

Le temps de trouver un emplacement libre pour l'Audi de Gab au milieu de la cohue familiale et de partir en courant vers la scène, le spectacle est terminé depuis un bon moment. À moitié déçue, j'invite Gab à marcher sur le sentier qui longe le fleuve Saint-Laurent où nous découvrons un chemin menant sur de gros rochers écailleux. J'ose m'informer auprès de Gab sur les relations réelles entre Tom et sa femme.

— Tom est séparé depuis plus d'un an mais il est encore en amour avec sa femme. J'pense pas qu'il veuille une blonde, si c'est ça que tu demandes vraiment.

Je n'insiste pas.

Gab propose de me reconduire chez moi et j'accepte volontiers. Il ne me reste qu'une heure pour me préparer. Je sens la fatigue me gagner alors que nous roulons sur la rue Saint-Denis en direction nord. Mes paupières semblent être gorgées de plomb et j'ai hâte d'être dans l'avion pour me reposer un peu.

En arrivant en face de chez moi, je remercie Gab de son attention et je la quitte, l'âme aérienne et libre.

10

No m'appelle pendant que je suis dans la file au contrôle de sécurité de l'aéroport Pierre-Elliot-Trudeau.

— Kira ? On vient de sortir de l'avion de Québec. On se rejoint au salon Feuille d'érable ?

— Ouais, j'arrive dans pas long.

Au salon réservé aux membres *Élite* et *Super Élite*, je retrouve mes deux amies que j'ai quittées il y a à peine cinq jours. Elles sont vautrées dans des fauteuils moelleux qui jouxtent la fenêtre donnant sur une des pistes d'atterrissage. Éveline sirote un café en dodelinant et No mâchouille un morceau de pain aux tomates séchées dont les miettes plongent comme des flocons de neige dans un bol de soupe au brocoli. J'ai la mine affreuse de celle qui n'a pas dormi de la nuit et pourtant, j'ai l'impression d'être légère. Nous entamons une discussion futile sur les bienfaits des statuts privilégiés de notre compagnie aérienne préférée. Un de nos obscurs buts en tant qu'artistes est de conserver notre statut supérieur de voyageuses et nous nous y acharnons avec un zèle presque malsain.

Mes doigts gigotent sur ma tasse à l'effigie d'Air Canada et, conquise par les détails de ma propre révélation, je me lance :

— J'ai fait un trip à trois hier.

No arrête de mastiquer.

— Avec qui ?

— Gab et Tom.

— Que-wa !!!

Près de nous, un homme d'affaires à la calvitie précoce sursaute.

— C'était pas fini avec Gab ?

— Elle a accepté de te partager avec un homme ?

Ève se déplace sur le bord de son fauteuil pour éviter que les mots se perdent dans la distance qui nous sépare.

— Ben ouais… On est sorti hier pis, ben, c'est ça. Les deux me cruisaient pis je savais pas trop mais finalement, c'était… intéressant.

— T'es vraiment weird Kira. Tu te retrouves toujours dans des situations impossibles.

Au terme de mes révélations qui ont provoqué un agrandissement notable de leurs yeux et une ouverture quasi permanente de leurs bouches, nous sommes interpellées par une voix maniérée provenant des haut-parleurs disposés un peu partout dans le salon VIP.

— Attention à tous les voyageurs, le vol Air Canada numéro 088 à destination de Paris-Charles de Gaulle, est maintenant près pour l'embarquement. Les passagers situés dans les rangées quarante à cinquante-cinq sont priés de se présenter à la porte d'embarquement numéro B54, merci.

Nous lambinons encore quelques instants dans les fauteuils en espérant que le vol ne sera pas trop achalandé et qu'on pourra s'étendre sur deux ou trois bancs libres. Je sors de mon sac un paquet métallique contenant des comprimés bleu poudre. J'en prends deux dans ma main et les ingère en lançant la tête vers derrière. Ils semblent vouloir se cramponner aux parois de ma gorge. Je décide de faire passer le tout avec ma dernière gorgée de café en ignorant l'aspect contradictoire de mes actions. Excitant liquide et somnifères. Invention bénie des dieux, ces agents soporifiques suffisent à transformer n'importe quel environnement incommode en station douillette, même les sièges d'avion qui ont l'habitude d'être trop penchés vers l'avant de sorte qu'il faut forcer pour garder une simple position assise.

En me laissant tomber lourdement sur le siège 17A, je constate avec un certain plaisir que mes deux partenaires qui se sont enregistrées ensemble à Québec, se retrouvent cinq rangées derrière moi. Ma fatigue artificielle et mon manque de sommeil de la nuit dernière ne me permettraient pas de soutenir une conversation. En quelques minutes, je plonge dans le gouffre noir d'une sieste salutaire dont j'émerge seulement lorsque les secousses de l'atterrissage ballottent mon corps inerte et reposé entre les deux appuis-bras en plastique de mon siège.

***

À la sortie des douanes françaises, nous sommes accueillies par un homme rondouillard à la chevelure argentée. Il tient entre ses doigts rugueux une pancarte où le nom de notre trio est inscrit. Ses allures d'aristocrate, son beau veston en cachemire et ses chaussures cirées détonnent avec sa face rougeaude, son teint de paysan volubile.

— Je me nomme Serge et je serai votre chauffeur pour votre séjour. L'hôtel est situé à trois kilomètres des studios d'enregistrement et je vous y conduirai tous les jours.

Nous arrivons au Novotel de Noisy-le-Grand, une banlieue de Paris triste et bétonnée. L'hôtel semble avoir été implanté au beau milieu de l'autoroute. Notre voyage à Paris, exotique dans nos pensées, s'enligne pour être un enchaînement de passe-temps puérils: écouter TV5 et France 2, rester un peu trop longtemps au buffet matinal face à la demi-fraîcheur d'un croissant bon marché et boire du café filtre au goût contestable.

À la réception de l'hôtel, Serge nous explique que le centre-ville de Paris est accessible par train urbain et que le trajet dure à peine une demi-heure. En récupérant nos clés magnétiques, nous décidons de faire une sieste jusqu'à midi et de nous rendre à Paris pour y passer le reste de la journée.

En sortant mon nécessaire de toilette de mes bagages, je visualise mon tube de Sensodyne trop volumineux entre les mains du vieil agent de sécurité à qui j'ai dû l'abandonner. En passant ma langue sur mes dents, je me promets d'appeler No dès que je serai reposée pour qu'elle me prête sa pâte dentifrice. C'est la première entorse à mon obsession dentaire et j'accueille ce moment avec une certaine gravité. De gros changements s'opèrent en moi.

Il est midi à Paris. Je suis devant la porte de la chambre de No et j'attends qu'elle vienne m'ouvrir pour pouvoir enfin me brosser les dents. Elle me fait entrer. Ève est déjà là, assise sur le coin du lit à écouter une émission sur une tribu centrafricaine. Ses genoux sont serrés ensemble comme ceux d'une écolière modèle. Dans la salle de bain, ma main tremble de bonheur lorsque j'approche ma brosse à dents de ma bouche et je suis certaine que ce simple geste suffit à me faire sécréter de la sérotonine. À chacun ses dépendances.

Nous déambulons dans Paris toute la journée, nous faisons un tour de grande roue, nous furetons près de la pyramide du Louvres, nous allons visiter la cathédrale Notre-Dame, où je m'endors sur une des banquettes en bois. Je suis réveillée par mon propre grognement, du genre de ceux qui n'existent qu'en raison d'une fatigue extrême. Je suis à Paris et les seules choses auxquelles je pense sont: Tom, dormir, dormir avec Tom.

Le reste de notre séjour en France se déroule comme sur des roulettes, sauf que le patineur est malhabile et il fait parfois de petites chutes divertissantes. Un assistant-réalisateur de l'émission essaie de me séduire lors de la fête organisée après le tournage. Il ressemble à Johnny Depp et à Orlando Bloom à la fois, mais il ne le sait que trop et ça me fait débander. La tête entre les cordes et les poulies de l'arrière-scène du studio, nous nous embrassons. Je tâte sa graine pendant qu'il pénètre ma chatte avec son majeur huilé de salive. Je suis sèche et il le remarque. J'ai hâte de revoir Tom et je me demande si ça sera pour bientôt. Je complote une foule de situations où je le croiserais dans une soirée. Comme une petite fille, j'ai des fantasmes de discussions entre lui et moi. Rien de plus. Le mec est trop soûl et quand je le repousse, il me gifle mollement. Je retourne voir No et Ève, qui me servent des regards moralisateurs. Rien à foutre.

***

Au comptoir d'Air Canada, la dame nous annonce que l'enregistrement est terminé depuis dix minutes et qu'il nous faut attendre le prochain vol. Je décide de sortir mon arme secrète :

— Mais, dis-je la larme à l'œil, avec une vibration fébrile de la lèvre inférieure (arme secrète), nous sommes en classe affaires !

La dame prend le combiné du téléphone et annonce à son interlocuteur qu'il faut ouvrir à nouveau le vol car trois passagères en classe affaires sont arrivées en retard. Elle place des étiquettes « priorité » sur nos bagages à enregistrer — a-t-on jamais reçu nos bagages en premier grâce à cette notice ? — et elle nous remet nos passeports et billets d'avion. Les gens moins bien nantis méritent de rater leur avion.

On nous sert un mimosa en nous remettant le menu du jour. Il n'est que 10 h mais vu l'occasion, je me laisse tenter par ces bulles orangées. Ça s'améliore vite, cette accoutumance à l'alcool. On me remet un nécessaire de voyage contenant un masque, des bouchons pour les oreilles, une minibrosse à dents et un minitube de dentifrice, une crème rafraîchissante pour les pieds, un fluide tonique à vaporiser sur le visage et un hydratant pour les mains. Une grosse couette épaisse est pliée devant mes pieds et lorsque je la soulève, une hôtesse vient m'aider à l'étendre sur mon corps réjoui.

À Montréal, lorsque je quitte No et Ève qui s'élancent vers leur prochain vol en direction de Québec, No me dit que j'ai parlé et émis des roucoulements de complaisance dans mon sommeil. Gênée, je fais mine de ne pas me souvenir de mon rêve mais maintenant, tout me revient sous la forme de flashs intenses... Tom... Il y a cette humidité gênante entre mes jambes, j'ai été victime d'un autre orgasme dans mon sommeil, jouissance fast-food qui survient à tout moment, sauf lorsque vient le temps de baiser.

11

Samedi soir, ça fait deux jours que je suis revenue de Paris et je n'ai rien à faire. Ce n'est pas exceptionnel. Il pleut et je ne me sens pas l'âme vagabonde. Suis-je la seule à avoir la trouille de recevoir une tige de métal dans l'œil lorsque je passe à côté d'un piéton affublé d'un parapluie ?

Mon téléphone sonne, c'est Oli, celui qui m'a enculée la semaine dernière.

— Qu'est-ce tu fais à soir Kira ?

— Rien. Veux-tu venir prendre une bière chez moi ?

— Ouin, OK. Mais j'peux pas rester longtemps, j'm'en vais à un party à soir.

Je l'attends pendant une heure. Il a peut-être décidé de me fausser compagnie. J'appelle Gab, juste pour savoir comment elle va, ou pour m'assurer d'avoir quelqu'un avec qui flirter ce soir, c'est selon.

Je ne peux pas contacter Tom car je n'ai pas son numéro de téléphone et aussi parce que je ne veux pas me mouiller de façon aussi évidente, même si j'en meurs d'envie. Je préfère que les choses se produisent par elles-mêmes, ça me donne l'impression qu'elles m'étaient destinées. Gab se rend aussi à la fête.

— Est-ce que tu peux passer me prendre avant d'y aller?

— Euh, oui, sûrement.

J'entends Oli qui frappe à ma porte. Putain!

— Je vais m'arranger toute seule, ça va être un trop gros détour pour toi.

— Euh, OK, comme tu veux. On se voit là-bas.

J'ai la vague impression que ce que je viens de faire est pitoyable mais je me rappelle les paroles de mon ex: «*On s'en fout que tu sois une salope*». J'essaie d'appliquer ce qu'on m'apprend. Je suis une élève douée, chouchou de la totalité de mes professeurs précédents. J'ai une attirance pour cette relation mentor-élève.

J'accueille Oli en lui tendant une Belle Gueule. Je suis contente de le voir, je ne sais pas pourquoi. J'ai l'impression d'être anormale. Si je dessinais une courbe graphique de la fluctuation de mes émotions, ce serait une ligne droite, avec de minuscules et subtiles pointes représentant les moments les plus émotifs de ma vie. Je me demande souvent si on ne m'a pas subtilisé une partie de mon intelligence émotionnelle lorsque j'étais plus jeune. J'essaie de trouver un événement de mon enfance ayant pu produire un tel stoïcisme mais je n'y arrive pas.

Peut-être ai-je refoulé malgré moi un viol sordide, ou suis-je le résultat agrandi d'un bébé non désiré, mal aimé et négligé. Je comprends rarement les bouffées d'émotions, positives ou négatives, qui affectent la vie des gens qui m'entourent. Je dois être une piètre amie.

Oli vide sa première bière en dix secondes. Je lui en refile une deuxième et nous prenons place sur le rebord d'une fenêtre ouverte. Il ne pleut plus, mais une vive brise balaie nos cils, laissant dans nos yeux un voile humide, luisant. Il fume une cigarette et il essaie de me charmer malgré le fait qu'il ne veuille pas de moi en entier. Juste en pièces détachées: ma bouche et mes lèvres (pénétrables), mon bassin, incluant mes fesses (empoignables), mon vagin et mon anus (éléments convoités). En vidant ma coupe de vin, je me dis que je vais pouvoir m'abstenir de coucher avec lui ce soir. Nous nous rendons à la fête, lui en vélo et moi en taxi. Il arrive avant moi et m'attend devant la porte de l'appartement, sourire complaisant en prime. Lorsqu'il ouvre la porte afin de me laisser passer, il en profite pour passer son doigt dans le précipice que fait entre mes fesses mon pantalon noir serré, avec tout l'empressement d'un consommateur plantant sa carte de crédit dans la fente d'une machine distributrice.

L'endroit est génial. C'est un loft d'artiste où se mélangent de vieilles boiseries, des murs de pierres et un ameublement épuré. Gab danse dans un coin et je me dépêche d'aller l'embrasser.

— Wow Kira, t'es belle.

Elle empoigne ma cravate et la fait tourner autour de son doigt en se dandinant au son d'un reggae molasse.

— Merci Gab.

Quelque chose cloche dans son attitude. À force de la côtoyer, j'en suis venue à déceler la subtilité de ses expressions faciales, de son langage physique. Ses sourcils arqués, ses yeux violets presque fluorescents et chargés d'insolence, son sourire qui se veut timide mais qui embaume le traquenard à des kilomètres constituent son cocktail de séduction typique. Confuse, car il semblait clair pour nous deux qu'une rechute dans les bras l'une de l'autre n'était pas nécessaire, je tangue de gauche à droite en masquant mal mon orgueil flatté. J'imagine que ceci est le résultat de mon appel plus tôt ce soir. Si je ne l'avais pas fait, peut-être n'essaierait-elle pas de me charmer. Fatalité.

Une pression douloureuse se fait sentir dans mon bas ventre et je me rends à la salle de bain en titubant. Je rencontre Oli. Il en profite pour mettre encore sa main entre mes jambes, empoignant mon sexe avec véhémence devant tout le monde, espérant conquérir ce territoire disputé qu'est mon corps indécis. Je lui jette un regard méprisant avant de m'engouffrer dans la salle de bain. Cette pièce me sert souvent d'exutoire face aux moments chaotiques de ma vie actuelle. Dans la glace, je vérifie en valsant si mes dents n'ont pas trop adopté la teinte violacée du vin. Ce n'est pas fameux. J'ouvre le robinet d'eau froide et penche ma tête afin de m'abreuver du filet liquide, avant de rincer ma bouche, les lèvres plissées, les joues rondes et gonflées. Le résultat est discutable. Je baisse mon pantalon et me laisse tomber sur le siège de toilette, ou à peu près, l'ivresse m'empêchant de viser la lunette avec mon derrière. Je m'accoude sur mes genoux et accote mon menton dans mes mains en attendant que l'urine finisse de tomber. Bercée par cette musique irrégulière, je m'adonne à la contemplation de ma propre hébétude. Quelqu'un cogne à la porte lorsque je me lave les mains et je tente de me dépêcher, consciente d'avoir abusé de l'endroit. Lorsque j'ouvre la porte, Oli me repousse à l'intérieur de la salle d'eau en m'agrippant à la gorge. Il enfonce sa langue dans ma bouche, sort son membre dilaté et se masturbe devant moi. Il vient en quelques secondes sur mon pantalon et me quitte aussitôt. Viol discret. Rien à foutre.

La pièce principale comporte de nouveaux arrivants. Parmi les dizaines de têtes agitées qui se pavanent devant moi, je décèle Tom. Mon cœur bat dans ma poitrine, qui se soulève et s'affaisse avec hystérie. Je l'observe de loin, calmant les milliers de signaux surexcités qui s'activent en moi. J'ai déjà oublié l'assaut d'Oli. Tom porte la chemise blanche qu'il avait lors de notre dernière sortie mais elle est à demi camouflée par un chandail en laine gris effiloché à toutes ses extrémités. Il parle à la propriétaire des lieux. Je suis à quelques centimètres de lui et j'attends mon tour pour lui parler. J'ai une vue imprenable sur sa nuque osseuse et l'émouvante naissance de ses cheveux brun clair. En lui touchant l'épaule afin qu'il se retourne, je me sens défaillir. Il se retourne et son visage s'illumine après quelques secondes, le temps de laisser son cerveau analyser l'information visuelle qu'il reçoit. Il me sert dans ses bras en laissant échapper un «*Arghhhhhh!*» de contentement. Je hume le creux de son cou, qui exhale la peau grillée par un soleil trop fort. Son chandail gris sent le vieux fond de tiroir mais je me surprends à vouloir y déposer mon nez, avide d'un effluve déroutant. J'ai envie de l'embrasser, de passer ma langue sur sa clavicule, de le mordre afin de conserver une partie de lui entre mes joues comme font les écureuils.

— Comment ça va Kira?

— Je suis contente de te voir. J'avais hâte de... de te revoir.

Un silence s'installe, doux, berçant, et au terme de cette suspension mirifique, il me resserre dans ses bras. Je fonds alors dans le délire d'une jouissance insoutenable. Mon pantalon mouillé colle sur ma cuisse.

— Je pensais à toi aujourd'hui. Je suis allé faire de l'escalade avec Gab et ma fille. Je lui ai demandé de t'inviter mais elle n'a pas voulu...

Un sourire complice se dessine sur ses lèvres fines, gercées. Je comprends que Gab n'est pas aussi indifférente à moi qu'elle prétend l'être. En ne m'invitant pas, comme le lui a suggéré Tom, elle voulait me garder pour elle seule. Adorable égoïsme.

Nous continuons notre conversation mais une envie irrésistible de nous étreindre encore nous tenaille. Le mouvement nerveux de ses doigts sur son verre de whisky cola me donne envie de les sucer pour en extraire l'angoisse. Je voudrais en avaler le suc et le conserver en moi à jamais. Coudre nos bouches, fusionner nos fluides, fuir avec lui pour que ma réalité puérile s'évanouisse.

— Comment c'était, Paris ?

Mes lèvres qui s'ouvrent et se ferment le captivent. Je suis peu concentrée sur mon discours. Nous sommes prisonniers d'une situation extérieure qui nous contraint à agir de façon convenable en public. Quelqu'un l'apostrophe et je suis soulagée. J'ai peine à réfréner mes envies de me faire prendre par lui au beau milieu du salon.

Je me laisse choir dans une place vide sur le divan. Mon esprit tourmenté par de prodigieux fantasmes a besoin de repos. Oli m'assaille à nouveau. Il glisse sa main sous mes fesses et me regarde comme un Viking conquérant. Il se penche vers mon oreille et y glisse sa langue humide.

— T'as crissement envie de baiser avec moi, je l'sais. Je te fourre par-derrière sur le comptoir de la toilette pis j'te serre le cou en même temps jusqu'à ce que tu chokes de plaisir. T'aimerais ça, hein, p'tite salope ? Tiens, touche ma pine, elle est toute prête pour ta chatte mouillée.

Bouleversée par la rudesse de son approche, je reste coite et retire ma main de sa poigne compacte. Gab me libère du joug de mon agresseur. Elle m'attire à elle et m'invite à danser. Je me sens plus en sécurité avec elle qu'avec Oli. Elle est plus respectueuse. On s'amuse à trouver des manières ingénieuses de faire bouger nos corps fougueux. Elle me sourit et je la trouve radieuse. Après quelques pièces de musique, je me sens moins confortable. Je ne veux pas qu'elle s'imagine pouvoir finir la soirée avec moi. Je m'évade dans un vide musical en lui servant un sourire coupable. Pour éviter d'être encore abordée par Oli, je fonce sur Tom, qui se sert un verre dans la cuisine. Je le serre dans mes bras.

— Tom, j'ai envie de toi. Veux-tu venir chez moi ce soir ?

— Euh, oui. Mais… je ne pourrai pas rester. Je dois aller reconduire ma fille à l'aéroport demain matin. Elle retourne chez sa mère.

— OK, je comprends.

***

La place se vide au gré des minutes qui passent. J'espère voir partir Oli et Gab afin d'éviter le désagrément de devoir me confondre en excuses devant eux. J'ai l'ennuyeuse sensation de devenir une putain débauchée à force d'entretenir les désirs de tout le monde de façon simultanée, comme on entretient des orchidées fragiles.

Je commence à lacer mes bottes, cachée derrière la porte de la salle bain. Gab déniche ma cachette que je croyais introuvable.

— As-tu besoin d'un lift ?

Je me tortille dans ma position accroupie.

— Merci Gab, mais je vais marcher. J'ai besoin d'air.

Un air qui inclut la douce respiration de Tom. Déconfite, elle me souhaite une bonne fin de soirée avant de partir les épaules voûtées et la démarche traînante. Ça me rend triste.

Il reste six personnes dans l'appartement: Tom, moi, Oli, une fille que je ne connais pas et les deux propriétaires des lieux. Ceux-ci nous raccompagnent à l'extérieur. J'amorce ma tournée d'adieux faussement intéressés et lorsque j'en arrive à Oli, il me dit:

— C'est ça Kira, va baiser le p'tit vieux.

Il se rapproche de mon oreille pour y cracher ses confidences.

— J'suis sûr qu'il bande même pu le vieux criss.

12

DANS LA VOITURE, Tom dépose sa main sur ma cuisse. Il pense que c'est la place qui lui revient de droit. Cet attouchement parvient à me faire bégayer et les indications que je lui donne manquent de cohérence. Il a de la difficulté à se concentrer sur la route et ne semble pas être en mesure d'éviter de me regarder. Il sait caresser le psychisme d'une femme. Lorsqu'on croise un feu rouge, il saute sur moi et m'embrasse avec zèle. Nos bouches s'humectent et se mêlent dans un instant d'éternité concassée. Ma tête se noie dans une piscine d'adrénaline. Le lointain bruit d'un klaxon nous ramène à la réalité et Tom presse la pédale de l'accélérateur.

Lorsque nous pénétrons dans mon immeuble, je le guide à travers les couloirs sinueux, m'arrêtant parfois pour joindre ma bouche à la sienne, pour coller son corps sur le mien. L'ascenseur, supplice infini, prend tout son temps pour nous acheminer à notre destination pendant qu'un léger regard d'inconfort se glisse entre nos yeux déroutés.

Nos vêtements volent dans les airs avant de retomber sur le plancher de ma chambre en un bruit sourd. Le tintement des portions métalliques de son pantalon meurt vite au sein de nos souffles saccadés. Je n'entends plus que le silence de nos plaintes encore étrangères. J'espère qu'on sera à la hauteur de notre désir.

Après, ce après qui se complaît dans un inconfort désolant.

— Pourquoi t'as pas joui ?

— J'sais pas. Ça me prend du temps avant de faire confiance à quelqu'un et de me laisser aller.

Il me serre dans ses bras, il comprend ce que je dis. J'aimerais être un homme et connaître ce que ça fait de posséder un plaisir sexuel aussi endémique. Nous sombrons ensemble dans un sommeil incertain, lovés en cuillère. Ses mains sur mes côtes fondent en moi comme l'empreinte incandescente qu'on laisse sur le bétail pour les identifier. C'est une brûlure qui me tourmentera bientôt.

Je me réveille et je constate que je n'ai pas sommeillé longtemps, quelques minutes. La main de Tom, celle qui était déposée sur un de mes seins, se fraye un chemin jusqu'à mon sexe et commence à me caresser avec douceur. Je me concentre sur mon plaisir. Son toucher est agréable, mais je n'aurai pas d'orgasme, je le sais. Je me retourne vers Tom en lui indiquant de se coucher sur le dos et je l'enfourche.

— Aimes-tu comment je te caresse ?

Je hoche la tête de façon floue.

— Étais-tu proche de venir ?

— Non.

L'obsession de l'orgasme des hommes m'éloigne de mon plaisir. Nous restons accrochés l'un à l'autre, de peur de nous perdre dans l'inconfort. Je sens son souffle dans mon oreille, comme s'il avait voulu me dire quelque chose, mais qu'il s'était tu, paralysé par la peur.

— J'aimerais bien apprendre à faire l'amour avec toi… Kira.

Sa phrase me tord le ventre. Mes veines se dilatent. La considération et la sensibilité me font peur, elles déclenchent des choses. De belles choses. Je songe alors à ma relation avec le sexe. Je n'ai jamais vraiment fait l'amour. Je me suis toujours contentée de baiser. Apprends-moi à aimer, Tom, car je ne sais pas comment, apprends-moi à ressentir car je ne l'ai jamais su.

— Il faut que j'aille chercher ma fille. Mais je voudrais bien rester avec toi et te caresser jusqu'à ce que tu aies l'orgasme de ta vie.

— Bonne chance !

Il remet ses pantalons en sautillant.

— Veux-tu me donner ton numéro de téléphone ?

Il me quémande une faveur, je la lui accorde. Comment résister à l'humidité de ses yeux lorsqu'il me parle, à ses grognements lorsqu'il m'étreint? Je lui récite fiévreusement les sept chiffres, qu'il sauvegarde dans la mémoire de son cellulaire.

— Je pars à Helsinki lundi, pour une semaine. Ne t'inquiète pas si je ne te donne pas de nouvelles.

Il est gêné.

Son dos est strié de mes coups de griffes, mes doigts y trottent comme sur une carte aux trésors. De petites collines éclosent sur sa peau rougie, sa chair de poule émouvante. Il me serre dans ses bras et je veux mourir. Il me borde, me saucissonne entre mes draps. Coincée, je reste dans cette position car c'est Tom qui m'a placée ainsi et j'ai peur de détruire quelque chose entre nous si je bouge.

En me réveillant quelques heures plus tard, je me demande comment je vais réussir à occuper ma semaine de façon à ne pas penser à Tom jusqu'à ce qu'il revienne de la Finlande et qu'il m'appelle. Nous sommes dimanche, il part demain. C'est une journée d'attente superflue qui ronge ma patience. Je vais courir.

Le vent ralentit ma cadence, la pluie me fouette le visage et mes souliers commencent à s'imbiber d'eau. Malgré tout, l'effort me motive et je redouble d'ardeur jusqu'à ce que je rampe pour atteindre la porte d'entrée de notre immeuble. En prenant ma douche, je me rends compte que ma colocataire Nini me manque. Je m'ennuie de sa présence stimulante, de nos discussions interminables. J'ai hâte de lui parler mais j'ai peur qu'elle désapprouve mes actions. Je la connais peu mais elle a des idées très définies sur ce qui est sain, ou malsain, pour une personne. Peut-on savoir ce genre de chose?

J'ai rencontré Nini lors d'un contrat au Mexique en janvier dernier. Durant le mois où l'on a travaillé ensemble, je ne lui ai pas parlé parce qu'elle ne démontrait pas d'intérêt à me connaître. Deux semaines après ce contrat, je déménageais à Montréal et j'ai été heureuse de constater qu'elle et sa partenaire de travail, Mel, s'entraînaient au même centre communautaire que moi. Quelques mois plus tard, notre envie d'évacuer nos appartements miteux respectifs nous a unies dans la recherche d'un logement. J'appréhendais un peu la cohabitation avec elle, car à la base nous n'étions pas très proches.

***

Je lis sur le rebord de la fenêtre, à cheval sur le cadre métallique de celle-ci, ma jambe gauche non épilée pend dans le vide. Le soleil décline à l'horizon, et le ciel se teinte d'or et de rose. Il fait chaud pour ce début du mois de septembre, un attroupement d'enfants en maillots de bain décolorés flâne sur les trottoirs envahis de mauvaises herbes. Mon regard est attiré par le vide. Ma vie ne tient qu'à un simple détail, l'équilibre de mon corps. Je pourrais laisser tomber mes épaules vers la gauche, je ferais alors une chute mortelle et irais m'écraser sur le trottoir. Je me demande à quoi ressemblerait mon corps sur le béton refroidi par l'ombre de l'immeuble.

La lourde porte de l'appartement s'ouvre. C'est probablement une personne qui s'est trompée de local, quelqu'un qui pense pénétrer dans une des manufactures qu'on retrouve en grande quantité dans cet immeuble commercial qui me sert de logis clandestin. Je ne barre jamais la porte. Je n'ai jamais eu peur de me faire agresser dans ma propre maison. De purs inconnus entrent parfois chez moi, ils me découvrent en sous-vêtements, tasse de café à la main. Ils s'excusent, me demandent s'ils sont bien à tel atelier mais constatent que ce n'est pas le cas, face à mon air abasourdi et à mes caleçons constellés de hot-dogs juteux.

Je vais accueillir l'inconnu afin de le congédier, désireuse de retourner à mes pensées.

— Bebi, on a gagné l'or!

Nini sautille autour de moi avant de me serrer dans ses bras. Je suis confuse.

— Qu'est-ce que tu fais là? Je pensais que tu arrivais demain.

— Ben, j'étais tannée, fak j'ai changé mon billet.

Elle brandit sous mon nez sa médaille d'or, gagnée lors de la compétition de cirque à laquelle elle a participé. On leur a octroyé, à elle et sa partenaire, une rutilante bourse de 3 500 euros. En retirant les vêtements sales de ses bagages, elle me raconte son voyage et elle me parle des personnes qu'elle a rencontrées. Elle étend la totalité de ses effets personnels dans le couloir de l'appartement et je comprends qu'elle m'a manqué. Sans elle, sans ses projets de tricot qui traînent dans le salon, sans les pauses cigarettes qu'elle se permet à l'insu d'El Tornado, sans ses demandes constantes de lui « prêter » du lait le matin, notre loft manque de vitalité.

Je lui parle de mes aventures et elle écoute en éjectant dans l'air humide des borborygmes décousus.

— Qu'est-ce que t'en penses ? J'hésitais à t'en parler. J'avais peur que tu me juges.

— Tom a l'air gentil, mais j'ai entendu dire que c'est compliqué avec son ex-femme.

Mon cellulaire sonne. Je réponds :

— Allo.

— Euh, Kira ? C'est Tom. Comment ça va ? Qu'est-ce que tu fais ?

Ahhhhhhhhhhhhhhhhhhhhhhhhhhhhhhhhhhhhh hhhhhhh !

— Ça va. Je parle avec Nini, elle vient de revenir de voyage. Toi, ça va ?

Il soupire

— Oui, ça va. Je suis en route vers l'aéroport. Je voulais venir te voir mais avec ma fille et tout… c'est la merde. Elle a raté son avion hier, elle voulait pas aller chez sa mère à Toronto, j'ai dû la chercher partout chez ses amis et lui racheter un billet. Bref, je n'aurai pas le temps. Mais man que j'aurais envie de te faire l'amour !

— Ah, c'est gentil d'avoir appelé… Je suis étonnée.

— Il faut que je te laisse, j'arrive à l'aéroport.

— OK. Bye Tom, bon voyage.

Je retourne au salon.

— Qui c'était Bebi? T'as rougi comme un homard dans l'eau bouillante.

— C'était Tom. Il pensait à moi.

Je n'arrive pas à croire ce qui arrive. J'ai l'impression d'habiter dans le corps d'une autre personne, un corps sans trou, sans défectuosité. Un filtre parfait. J'ai peur de mourir avant que Tom revienne. J'ai la phobie illégitime qu'un accident survienne avant que se passe un événement que j'attends avec impatience. Je serai prudente cette semaine, juste au cas.

Nous passons, Nini et moi, une belle soirée remplie de confidences et d'éructations involontaires. Son habitude de me parler en enroulant ses cheveux bouclés autour de son index m'ébranle. Ses cils sont tellement longs qu'ils touchent le haut de ses paupières soyeuses. Elle ressemble de plus en plus à cette photo de femme qui traîne sur sa table de nuit, sa mère décédée il y a dix ans.

Le soir, dans mon lit, j'angoisse. J'ai peur de commencer quelque chose avec Tom en sachant que c'est voué à l'échec, comme la totalité des couples de ce monde. Toutes les relations que j'ai chéries jusqu'à maintenant ont implosé, encore dans le fœtus de leur formation. J'ai peur de ne pas me remettre d'une autre défaite.

13

VENDREDI SOIR. Deux jours à attendre avant le retour de Tom. Deux fois vingt-quatre heures, trop long pour survivre.

J'ai un spectacle mardi prochain et il me reste encore un enchaînement chorégraphique à trouver pour ma nouvelle routine de contorsion. Nini m'a aidée, elle sentait que j'en avais besoin.

El Tornado est revenu de la Thaïlande mercredi et déambule dans l'appartement accoutré d'un sarouel azur en cuisinant des plats à base de noix de coco et de citronnelle. Ce matin, il nous a demandé si nous étions indisposées à l'idée d'accueillir, pour quelques semaines, une amie ainsi que son fils de trois ans. Ils habitaient au Danemark et reviennent à Montréal. Ils ont besoin d'un petit moment de transition afin de se trouver un endroit convenable pour vivre. Je crois m'être abstenue de répondre.

Je ne savais pas quoi dire. L'éventualité qu'un enfant turbulent vienne bouger entre mes jambes en salissant mes pantalons avec ses pattes sales ne m'est pas apparue exquise. Est-ce que je confonds l'idée que je me fais d'un enfant avec celle d'un chien ? C'est possible. Mais comment refuser sans mettre à jour mon égoïsme flagrant. Il a été convenu que nos visiteurs arriveraient aujourd'hui et que nous les hébergerions aussi longtemps que nécessaire.

Sur l'heure du souper, on cogne à la porte. El Tornado va ouvrir, encore affublé de son sarouel. Le mouvement de ses jambes poilues produit le même bruissement que lorsqu'on porte un pantalon pour jouer dans la neige. Il fait entrer une jeune femme enceinte de quelques mois et un garçon robuste aux cheveux blancs. Le petit ange transporte dans ses petits bras potelés un singe en peluche. Celui-ci est compressé contre son petit corps et ses longues jambes valsent dans les airs au gré des mouvements du gamin. Je souhaite la bienvenue à nos invités, leur demande leurs noms (Ane et Rasmus), avant de m'engouffrer dans ma chambre, pleine d'insécurité face à l'enfant.

***

Il y a une autre fête ce soir chez un acrobate. Une pléthore de gens éméchés dansent, parlent, crient, titubent, baignent dans l'alcool et autres substances illicites sélectionnées. Oli, bière en main — le contraire m'aurait étonnée —, fonce vers moi dès qu'il me voit arriver. Il porte une chemise de cow-boy orange qui élargit son tronc, ses épaules semblent avoir doublé de grosseur. Je dépose mon sac à main en faisant mine de le faire disparaître sous la montagne de manteaux et autres accessoires divers.

— Pis, t'as passé une belle fin de soirée, l'autre jour?

— Oui, mémorable.

Derrière mon faux sourire, mes dents claquent d'inconfort. J'essaie d'afficher un air détaché mais ce ne semble pas suffisant pour le faire taire car il me relance au sujet de Tom:

— Il a-tu bandé le vieux? J'espère qu'il t'a baisé comme y faut. Tu mérites ben ça.

Je perçois derrière ses paroles une pointe d'amertume évidente, un soupçon de jalousie. Je ne comprends pas les motifs de sa crise de territorialité. Il a manifesté son désir de ne plus voir ma dévotion gênante s'empêtrer dans ses jambes de séducteur. J'ai l'impression qu'il y a plus, au fond de cette histoire, qu'un simple orgueil masculin bafoué.

— Tu m'as dit que je serais déçue par toi, alors j'ai préféré m'abstenir.

Il se tait. Je continue:

— J'ai de la misère à te comprendre. Aide-moi un peu. Dis-moi ce qui se passe dans ta tête Oli, parce que là, je ne comprends pas. Tu agis comme un imbécile avec moi depuis le début, tu…

Il me coupe la parole avec ses paroles acérées.

— Ça ferait trop mal poulette si j'te disais ce que je pense de toi.

Je l'encourage à continuer, persuadée que ce n'est encore qu'un autre de ses petits jeux de séducteur. De ses lèvres sortent, comme d'impétueuses flèches me visant, les mots « jeune » et « immature ». Jusqu'à maintenant, l'information est digeste. Sa langue fourchue crache de la salive et quelques autres insultes vaillamment choisies.

— J'aime ça te fourrer Kira, t'as un p'tit cul tight pis des airs de cochonne. Mais tu baises juste pour faire plaisir au gars. On dirait que c'est la première fois pis que t'as peur de t'faire chicaner si tu fais pas ben ça.

Ses paroles dévalent comme une rafale de gifles brûlantes sur mon visage. Mes joues s'empourprent, mes yeux s'humectent et ma tête se vide.

— Je l'sais qu't'es pas capable de venir. Ça paraît. Mais t'aimes tellement ça te faire baiser que tu résistes à personne. D'ici une couple d'années, tout le monde aura passé sur toi. Même les gouines. T'es juste une p'tite salope. Mais tu sais, j'aime bien t'utiliser. T'es ma p'tite pornstar personnelle. Tu me feras signe quand tu veux être prise par un vrai homme. Je te mettrai sur ma liste.

Sous ses yeux amusés, je redeviens une petite fille qui subit les remontrances de ses parents. Je pense même que je m'excuse auprès de lui d'avoir été si moche. Ma tête passe le reste de la soirée dans un brouillard dense et opaque. J'essaie de soudoyer Nini avec des promesses de confections culinaires pour qu'elle revienne avec moi à la maison. Elle ne veut pas quitter la soirée avant l'aube, terrifiée à l'idée de ne pas assister à tous les événements qui s'y passent. Elle est la dernière à quitter les lieux et moi, la première. Oli s'évertue à séduire une fille tout en me lorgnant, il veut se venger de ma traîtrise de la semaine dernière.

14

Entortillée dans mes draps, j'essaie de trouver un coin de mon lit qui ne soit pas en train de cramer sous les rayons du soleil matinal. Je dois changer de position tous les quarts d'heure pour éviter de finir en rôti. L'énorme fenêtre de ma chambre est une loupe et je suis sa cible agacée. En somnolant, je jauge ma journée à venir, sa trivialité complaisante. Il me reste beaucoup de travail à accomplir d'ici mon spectacle de demain et je dois me concentrer sur cela. Je me lève. Je suis risible à force de faire la toupie dans mon lit. Gratifiant le soleil de quelques coups d'œil revanchards, j'enfile mes vêtements d'entraînement: un pantalon de jogging gris et une camisole blanche.

L'horloge est ma damnation du jour. Les aiguilles avancent avec lourdeur. Je vis au ralenti, comme une mouche gommée dans un pot de miel qui tente de s'en sortir en battant des ailes. Ma tête n'est pas très coopérative mais je me force à cumuler trois heures d'entraînement. Vers la fin de l'après-midi, Gab m'appelle et me propose de participer à un cours de ballet au studio Bizz. J'accepte son invitation, contente d'échapper à la menace d'une soirée en solitaire. Je me prépare en toute vitesse et cours jusqu'au studio afin de ne pas arriver en retard. Ah ! La naïveté de ma ponctualité !

Nous sommes une trentaine d'élèves à participer à ce cours d'initiation qui précède la session automnale du centre. Seulement un homme dans la classe, le professeur. Vingt-sept filles en cuissards colorés font balancer leurs aréoles sous des camisoles transparentes. Pas Gab. Lorsqu'elle arrive, vingt minutes se sont déjà écoulées, parsemées de pliés, de grands battements et d'élevés. Elle retire avec langueur son chandail et je me surprends à admirer ses épaules découpées, sa taille étroite, la ligne de sa mâchoire, parfaite. Le cours est aliénant, trop basique et très peu inspiré. Je me concentre sur Gab qui, entre deux chassés, me regarde de ses yeux feutrés, caressants.

À la fin de deux heures d'exercices ennuyants, elle me demande si j'ai envie qu'elle me raccompagne chez moi. J'accepte, avant de recevoir entre les mains un casque de moto éraflé qui à coup sûr me donnera une tronche de marmotte bouffie. Nous arrivons près de sa Harley.

— Comment ça va ?

— Pouet, pouet…

— Quel genre de pouet pouet ?

Ce n'est pas le genre de discussion que je suis prête à avoir sur le coin d'une rue entre deux clochards qui, visiblement, se disputent le territoire de mendicité. Gab m'invite à prendre un café au Première Moisson.

— Je suis un peu fourrée dans mes relations. J'ai l'impression que ça peut juste mal aller, même si on s'aime pis toute.

Nos deux cafés refroidissent au gré de nos discussions, de nos rapprochements.

— Hum. Je peux te confier quelque chose? Quand je t'ai rappelée récemment, j'avais envie qu'on trouve une manière d'être ensemble. Je me sens proche de toi, je tripe à m'entraîner avec toi. Je ne vois pas pourquoi on ne pourrait pas avoir une relation pratique.

Je ne sais trop qu'en penser. J'adore Gab et je sais que cette relation dont elle me parle est possible mais trop d'éléments bourdonnent dans ma tête en même temps. Trop de monde, trop de sentiments contradictoires. J'ai l'impression de souffrir de schizophrénie momentanée avec toutes les indications divergentes qui me caressent l'esprit. Tom se dilue dans mes pensées à force de se faire si silencieux. À la fin de notre entretien, nous nous étreignons, toutes les deux ébranlées par un émoi tabou. Assise derrière elle sur sa moto, je me colle à son dos brûlant. Un vent glacé glisse sur mes joues et me fait plisser les yeux. Gab dépose sa main sur une de mes cuisses lorsque la conduite le permet. Elle me fait débarquer de son bolide à la porte de mon immeuble et j'ignore si je dois l'inviter. Avant que j'aie le temps de parler, elle pose un baiser dodu sur mes lèvres et me lèche l'intérieur de la bouche. Elle prétexte une chorégraphie à compléter avant demain et je la laisse filer, heureuse de ne pas avoir brusqué mon humeur casanière.

***

Il reste cinq minutes avant ma performance et je suis l'artiste qui a l'honneur de briser la glace. Trois autres numéros de cirque sont au programme : Nini et Mel, un duo de tissu aérien et une équilibriste. Dans le noir de la coulisse, les tremblements de mon corps font osciller les rideaux. J'essaie de visualiser ma routine tout en gardant un œil sur le régisseur blasé qui me fera un signe lorsque ce sera à mon tour de monter sur la scène. On m'annonce et je reçois mon signal, lancé sans même un regard d'encouragement par l'homme au casque d'écoute qui est en charge des artistes.

En mettant le pied sur la scène, j'essaie de m'oublier et d'éteindre mon cerveau afin de n'être qu'un corps robot exécutant ce pour quoi il a été entraîné. Mes mains vibrent et ma démarche est hésitante. Le sol semble tanguer sous mes pieds crispés. Je prends place sur la scène et j'attends que ma musique démarre. Mes premiers mouvements sont craintifs et saccadés. Le doute s'immisce en moi. Je coupe certains mouvements chorégraphiques car j'ai peur de mal les exécuter, de ne pas assumer leur sensualité, leur audace. La première figure technique se pointe à l'horizon avec toutes ses incertitudes, son arrogance et sa trahison possible. Tout va se jouer dans cet espace-temps immobile. Par miracle, la figure tient bon, me donnant ainsi la confiance nécessaire afin de terminer ma routine sans trop d'embarras. Après la grande finale de mon numéro, je me sens morose. J'accueille les applaudissements égrenés des spectateurs déposant à peine leurs fourchettes ou leurs verres de vin afin de me rendre hommage. J'ai la certitude de ne pas avoir fait mon possible pour bien performer.

Dans les coulisses, je m'assois, renfrognée, et je regarde la suite du spectacle, cachée dans l'obscurité ambiante. Les trois autres numéros s'enchaînent comme un concert symphonique parfaitement coordonné et, à mon grand désespoir, ils reçoivent tous une ovation debout. Mes mâchoires se raidissent et je sens dans ma bouche le goût âcre d'inévitables sanglots. Je me rends dans une des cabines de la salle de bain pour y expulser ce venin qui pourrit ma tête. Je suis dégoûtée par mon sentiment, un mélange d'envie et de haine. Ma colère ne se tarit qu'en arrivant à la maison, après une longue et ténébreuse promenade en taxi avec Nini.

— Kira, t'es fâchée ?

— Pfff !

— Oh ! Come on. T'étais toute belle sur la scène. Tout le monde a craqué. C'est normal que ça soit un peu dur d'être le premier numéro. Mais tu les as bien embarqués dans l'ambiance.

— J'ai juste peur pour l'audition de samedi pour les cabarets allemands. J'aimerais ça impressionner tout le monde.

— Demande à Gab de t'aider.

— Ouais, je vais faire ça.

Calmée et rassurée par ses paroles, je vais rejoindre mon lit, où je parviens encore à retrouver l'odeur de Tom sur mes oreillers.

15

JEUDI, je déniche dans une petite boutique sur Mont-Royal des bottes noires en suède. Nini pense que ce sont des bottes de salope et je suis d'accord avec elle. Je ferai ma comptabilité morale plus tard. J'ai aussi acheté un disque compact, Emily Haines and the Soft Skeletons, *Knives don't have your back.* En lisant la critique dans le *Voir,* je me suis dit que ce disque avait été créé pour moi. Je me donne une importance non méritée, peut-être.

En arrivant à la maison, j'appelle Gab car j'ai envie de lui montrer ma nouvelle routine de contorsion afin qu'elle me donne quelques conseils avant mon audition. Elle répond après quatre sonneries et je la visualise parfaitement bien, prenant son temps pour décrocher le combiné du téléphone. Lorsque je suis chez elle et que la sonnerie retentit, elle complète toujours l'action qu'elle exécute avant de répondre, et ce, peu importe sa nature. J'ai souvent été tentée de répondre à sa place mais je n'ai jamais osé car elle verrait cela comme un geste accaparant à outrance. Encore cette obsession de l'ordre des choses.

— Je commençais un entraînement. Ça te tente de venir chez moi ?

En arrivant à son appartement, je constate qu'elle n'a pas encore débuté son échauffement. Entre deux envois de courriels, elle lance qu'elle a préféré m'attendre mais je la soupçonne d'être en retard dans son horaire, comme toujours.

— Kira, as-tu envie qu'on fasse de quoi après le training ?

Le quelque chose en question n'est pas spécifié.

Quelques minutes plus tard, je me retrouve les fesses sur ma tête. L'ombre dorée de mes mouvements de jambes danse sur le parquet en bois vernis quand j'entends retentir le bip distinct de mon téléphone, indiquant un appel en absence. Je me déplie et me précipite sur le petit appareil gris.

Tom m'a appelée, l'historique de mes appels le confirme. Avant de contacter Gab cet après-midi, je me suis demandé si je devais attendre un peu au cas où Tom appellerait. Mon téléphone a sûrement sonné alors que j'étais dans le métro en direction de chez Gab. Si j'avais attendu quelques minutes de plus avant d'appeler ma partenaire d'entraînement, je serais maintenant dans les bras de Tom. Notre séance se terminera vers 21 h et j'ai déjà dit à Gab que je ferais quelque chose avec elle, malgré l'aura floue entourant ce « quelque chose ». Je grogne en continuant à enchaîner mes exercices qui tout à coup deviennent moins captivants.

J'essaie de chasser ces pensées de ma tête et d'unir mes forces afin que mon air abattu ne ternisse pas toute la soirée. Pendant plusieurs heures, nous faisons de la recherche afin de trouver des mouvements esthétiques et intéressants. En essayant certaines figures, je m'écorche les bras, comprime mes veines, étire mes articulations mais mon zèle est incontrôlable. Je souhaite impressionner Gab avec mes trouvailles et mon initiative.

À la fin de notre entraînement, je ne me sens pas très bien et je décide d'aller aérer mes idées loin de ma partenaire le temps d'une marche bucolique dans les rues de Saint-Michel.

— Mais, je croyais que tu restais…

— Oui, t'inquiète. J'ai juste un peu mal au cœur, je vais aller respirer dehors.

Elle opine, déçue de me voir m'évader. Elle a l'habitude de me voir obtempérer à tout ce qu'elle me suggère.

— Veux-tu des Gravol?

— Non, c'est pas ce genre de mal de cœur. On en parlera plus tard.

La phrase redoutable.

La soirée est brumeuse, tempétueuse. Les feuilles se giflent entre elles en un bruissement persifleur. Je m'éloigne le plus possible de chez Gab — autant que mon impatience le permet — avant d'appeler Tom. Une chaleur incertaine se loge dans mon ventre creusé. Il répond.

— Salut Tom, c'est Kira, je viens de voir que tu m'as appelée.

— Salut... Quels sont tes plans pour la soirée? As-tu envie qu'on sorte?

— Hum... Pas ce soir.

— Qu'est-ce que tu fais?

Une balle de laine mouillée se loge aussitôt en travers de ma gorge. Il est exclu que je lui mente, mais je ne peux pas non plus lui avouer que je passe la soirée avec Gab. Après un moment qui me semble interminable et où je fais usage de toutes les onomatopées faisant partie de mon vocabulaire, il me dit, la voix tremblotante:

— Ce n'est pas de mes affaires, c'est ça?

— Oui, c'est un peu ça...

Je ne sais pas si l'ajout de l'adverbe « peu » parvient à atténuer mes airs de salope. J'aimerais lui crier le contraire: « Oui, ce sont tes affaires, tu as le droit de me demander des comptes. Je t'adore déjà. »

Pendant un instant, j'hésite à annuler ma soirée avec Gab afin de courir rejoindre l'homme qui me procure autant de palpitations. Je lui demande:

— Demain, est-ce que tu pourrais?

— Demain, on a un spectacle, mais si tu veux, je t'appelle après. Si on ne finit pas trop tard, ça serait bien de se voir.

— Je vais attendre ton appel. Bonne soirée Tom.

— Toi aussi.

Je crois l'entendre soupirer dans le combiné, ou peut-être est-ce mon propre souffle désolé. En fermant le panneau de mon cellulaire, j'ai l'impression que je vais mourir d'ivresse. Je me trouve si méprisable. Comment puis-je ainsi tergiverser entre une femme et un homme, amis?

Ce soir, j'espère avoir la force de ne pas coucher avec Gab. Est-ce une question de force? Je l'espère.

En écoutant mon nouvel album de musique sur mon lecteur, mon attention se pose sur une des pièces, «Crowd surf off the cliff». Les paroles pénètrent dans ma chair déjà à vif et des larmes douceâtres se mettent à dégringoler sur mes joues refroidies par la brise automnale.

Cursed with a love that you can't express
It's not for a fuck, or a kiss
Rather give the world away than wake up lonely
Everywhere in every way I see you with me

Je l'écoute en boucle pendant ma déambulation nocturne. Frissons glacials qui me caressent l'échine. Je rentre. Gab dans la cuisine. Cuisson de pâtes fraîches, tortellinis au fromage. Je me demande ce qu'elle a bien pu faire pendant mon absence pour être aussi peu avancée dans sa recette. Je soupçonne les quelques quatre cents courriels d'admirateurs qui l'attendent dans sa boîte de réception. Elle m'offre une portion de pâtes mais je n'ai pas faim. C'est vrai. Un mensonge de moins à mon actif. J'accepte le verre de vin. Lorsqu'elle finit d'ingérer ses pâtes, nous nous dirigeons vers le tapis noir du salon, fidèle compagnon aux activités charnelles chez Gab. Lorsque je couchais avec elle, je zieutais toujours ce tapis avec suspicion. Combien de filles avait-elle étendues sur cette moquette? Combien de genoux avaient été abrasés par des ébats trop passionnels? Combien de litres de glaire séchée?

Un léger inconfort se glisse entre nous. Nous savons que certains sujets doivent être abordés mais nous nous taisons, en espérant que l'autre entamera cette conversation. Mon regard se pose sur les poils du tapis et je médite sur son insalubrité. Respiration difficile, poumons comprimés. Je ne bouge pas. J'ai trop peur de me voir déguerpir hors de moi. Gab commence:

— Kira…

Profonde respiration.

— Je ne sais pas quoi attendre de notre relation. Il y des choses dont je suis persuadée. J'adore passer du temps avec toi. Quand je t'ai vue, pendant l'entraînement, en pleine possession de ta créativité, fougueuse, déterminée, j'ai eu envie de toi. Le désir physique que je ressens pour toi est indéniable mais en même temps j'ignore si c'est suffisant pour bâtir un couple constructif. Me suis-tu?

J'opine vaguement.

— Ça va peut-être te paraître bizarre mais j'ai l'impression que notre relation pourrait être belle et pratique en même temps, que nous pourrions y trouver notre compte. Je n'ai pas envie d'être seule et je me disais qu'on pourrait voir si on peut construire quelque chose ensemble. Je sais que ce n'est pas magique et tout, mais il me semble qu'il y a trop de douleur associée à la passion.

Pendant qu'elle débite ses aveux, quelque chose me rabote l'esprit. J'ai l'impression que ce qu'elle me propose n'est pas suffisant. Je suis confuse. Je ne sais pas ce dont j'ai envie mais j'ai besoin que Gab me balance une série de certitudes sur lesquelles je peux m'accrocher, me fier. De la conviction, un peu de couilles. Je veux être LA personne spéciale pour quelqu'un, pas une conjointe par défaut. J'aurais besoin qu'elle me dise que mon absence dans sa vie rendrait celle-ci insupportable.

Je reste muette devant mon incapacité à lui dire tout cela. Elle me flatte la tête comme un berger bienveillant caresserait son agneau le plus timide.

— J'ai peur Gab. J'ai peur de mes actions. Je n'ai aucun contrôle. Ce n'est peut-être pas la bonne chose à faire.

Lorsqu'elle me guide vers sa chambre, je vois qu'aucune échappatoire ne saura résoudre mon conflit intérieur.

Me déshabiller. Me glisser dans les draps glacés comme mon corps. Dégoût. Gab me prend dans ses bras, tente de calmer mon angoisse. Un aveu serait nécessaire. Me libérer de ce poids qui gruge mes tripes.

— Tom m'a invitée à faire quelque chose demain soir.

Silence.

— Qu'est-ce que tu penses de lui ?

— Je ne sais pas. Je le trouve gentil. J'aime bien passer du temps avec lui mais j'ai peur de ne jamais être satisfaite. J'ai pas envie de le partager avec le souvenir de sa femme.

Est-ce vraiment ce que je pense de Tom, une catégorisation aussi triviale ?

— Tu fais ce que tu veux Kira, tu es libre de tes actions. Je n'ai aucun droit sur toi.

Satanée rengaine de hippy nouveau genre. J'aurais préféré qu'elle m'interdise de le voir, qu'elle soit jalouse, qu'elle souhaite me posséder; que je sois sa chose, son bien personnel. Elle ne sera jamais amoureuse de moi. Si au cours des quelques mois où nous nous sommes fréquentées ce sentiment ne s'est pas développé, il ne le fera jamais. Je ne remets pas en doute sa sincérité, son désir de m'aimer, mais sa pensée est masquée par son désir pour moi, sa peur d'être seule. Ce qu'elle veut, c'est une amante avec laquelle elle peut aussi partager certains moments quotidiens choisis. Ce n'est pas moi. Mais peut-être que je peux faire l'affaire, pour ce soir.

Fatiguée de lutter contre son envie de me baiser, je cède, tout en me détestant pour toutes ces choses que j'accepte sans les vouloir.

— Fourre-moi Gab. Prends-moi comme tu prendrais la pire des salopes.

Me punir. Transcender ce mépris que je m'inflige. Faire une distinction entre sexe et amour.

Les claques sur mes fesses rougies sonnent faux et les mots obscènes que je lui susurre ne sont que le prolongement de ma tirade haineuse intérieure.

Son étreinte postcoït se dissout dans un sommeil profond. Insomniaque, je rumine mon irritation jusqu'au matin.

Je suis un objet, un bien de consommation. Une fente infinie, une cavité sanguinolente. Froissement, friction, moiteur. Le fantôme d'une femme. Je suis une étreinte, un étau grinçant; je suis une convulsion, un fluide, un contenant. La certitude d'un néant. Je suis une artère débouchée, un canal dilaté. J'aimerais être une femme. J'aimerais être.

16

PAS DORMI de la nuit.

En faisant une toilette rapide dans la salle de bain de Gab, je me rends compte que notre séance d'entraînement a laissé sur mon corps des marques plus profondes que je ne l'aurais pensé. L'intérieur de mes bras est parsemé de bleus disgracieux et il ne me reste presque plus d'épiderme d'une couleur normale. La totalité de mes membres est striée d'écorchures à vif, d'ecchymoses multiples, de contusions violettes, bleutées, verdâtres, que Gab a aggravées en me battant approximativement hier à ma demande. Marques sympathiques. Les exhiber est pour moi une occupation des plus esthètes. Elles représentent mon ardeur au travail, mon acharnement. Ce sont des blessures de guerre, un combat perpétuel contre mon corps, contre une entité trop humaine pour être vaincue.

— Tom arrive dans pas long. On fait la route ensemble pour notre contrat de ce soir.

Qu'est-ce que je fais là ? Qu'est-ce que je fais tout court ? Je fuis.

Dans le métro qui me ramène à la maison, j'écoute encore la pièce musicale qui m'a tant plu hier. La voix de la chanteuse est altérée par le bruissement sourd du wagon qui glisse sur les rails métalliques. Je monte le son et appuie sur les petits écouteurs blancs logés dans mes oreilles. Fondre dans une transe impénétrable. Arrêter de penser. Tactique de la déconcentration. Je m'éparpille pour éviter de me retrouver et d'être déçue de ce que je suis devenue. Nausées.

Toute la journée, j'attends ce moment précieux où Tom m'appellera, essayant sans succès de dormir un peu. Les heures se succèdent dans une ambiance vaporeuse. J'esquisse un entraînement qui se termine quelques dizaines de minutes après son début nébuleux, dans un haussement d'épaules et une moue à peine empreinte d'une culpabilité molasse.

Vers 21 h, je prends ma douche et me prépare à sortir. Assise à la table devant un énorme café qui constitue ma seule source d'alimentation de la journée, je discute avec El Tornado. Il se fait mariner dans le microbain sur pattes qu'on a installé dans la cuisine au cours de l'été. Il est surélevé sur un tas de planches de bois et l'étape la plus surréaliste de nos séances de baignade consiste à sortir dudit bassin, l'épiderme glissant, en marchant sur le coin du promontoire improvisé, et ce, tout en tenant sur notre poitrine la serviette qui nous garantit une certaine intimité. Il est rare que nous prenions ainsi un bain en public mais El Tornado souffre d'une réaction allergique qui nécessite un trempage prolongé dans le bicarbonate de sodium afin de calmer ses furieuses démangeaisons qui font comme du chou-fleur sur sa peau. C'est d'un charme manifeste. Je lorgne la baignoire avec scepticisme car la dernière fois que Nini s'y est aventurée, elle s'est méritée une vaginite. Je pense aussi qu'un chien y a pris son bain.

Vers 22h, Tom appelle.

— Hey Kira, on se rejoint avec toute la gang au *Réservoir* dans une heure.

Je n'ose pas lui demander le nom des personnes incluses dans cette «gang». Panique. Je demande à El Tornado – Chou-fleur de m'accompagner. Il est toujours pertinent d'avoir un ami tampon-chaperon avec soi. Il décline mon invitation, prétextant qu'il doit soigner ses allergies. L'égoïste!

Je décide d'y aller à pied. Je porte mes nouvelles bottes de salope et elles rythment ma marche de leur «clac, clac» incessant. Les gens se retournent à mon passage et cela me procure une certaine assurance qui ne m'empêche pas, toutefois, de trébucher sur une craque de trottoir obtuse. J'arrive à ne pas m'étendre en crêpe au milieu des passants. Je jouis d'une certaine dose de réflexes qui me permettent de me rattraper au dernier instant. Mon ego est sauvé pour cette fois. Pas pour longtemps.

En arrivant au bar, je fais un tour rapide pour voir si Tom est déjà arrivé mais je ne le vois nulle part. Je l'attends à l'entrée de l'établissement. Des regards festifs se posent sur moi et sur mon indubitable solitude. Plusieurs minutes passent. Aucun visage familier. Désarmée par mon apparence minable, je l'appelle.

— Tom ?

— Kira ? On arrive, on arrive, on est juste sur le coin de la rue.

Encore ce « on » indéfini, cette promesse d'intimité bafouée.

Je les aperçois soudain, lui, Gab et Oli. Je veux partir à la course et rentrer chez moi, mettre ma tête dans ma cuvette de toilette insalubre et prendre deux ou trois gorgées de réalité, avec des grumeaux gluants si possible. J'essaie de les saluer avec naturel. Échec. Oli me détruit d'un petit sourire en coin et je me sens comme une grosse limace traîtresse. Gab m'achève avec sa seule présence. Même si elle savait que j'allais passer la soirée avec Tom, je n'aurais jamais imaginé qu'elle puisse avoir l'audace de vouloir tenir notre chandelle. Nous trouvons une table au deuxième étage du bar plein à craquer.

— Qu'est-ce que tu veux boire ?

— Rien, merci Tom.

L'homme convoité à ma gauche. Gab et Oli en face de moi, aux premières loges pour assister à ma décadence. Je me retourne vers Tom en lui souriant et j'essaie de chasser les deux autres de mon champ de vision. Tactique du déni.

Il me questionne sur les contusions que mes bras chétifs affichent avec complaisance.

Je lui explique avoir fait de la recherche avec Gab la veille, tout en espérant qu'il ne fasse pas le rapprochement avec mon indisponibilité dans cette même soirée. En allant au bar, Oli me balance ses vérités :

— C'est quoi Kira, tu t'es fait battre par un de tes amants, ma p'tite salope ?

— Ouais, c'est ça…

Il s'éloigne et même derrière sa tête, je sens son sourire triomphant.

— Vous avez pas trop l'air de vous aimer tous les deux.

— C'est juste un cave. Pourquoi tu l'as invité ce soir ?

— Ben, il était tech sur notre show ce soir et il a su qu'on sortait avec toi. Il s'est invité.

Tom et moi parlons de la vie, des spectacles, de nos peurs, ce genre de choses.

— Veux-tu t'évader avec moi ?

— Oui, volontiers. On va chez moi…

On se lève.

— Vous allez où ?

Avec une impertinence apocalyptique, mon partenaire lui lance :

— Ben, on va chez Kira. T'es jalouse ?

Silence.

J'essaie de soutenir le regard de Gab afin d'y déceler une certaine note de déception, d'envie ; un indice de son attachement à moi. Rien, juste une froideur acidulée.

Si cette scène avait lieu avec des protagonistes féminins normaux, il y aurait déjà quelques morts dans le bar, des dizaines d'attaques de griffes lancées aléatoirement; des coups de pied dans les tibias, des crachats volants lancés de catapultes buccales. Une crise d'hystérie.

Oli se tape probablement une fille dans les toilettes.

En marchant vers sa voiture, Tom me dit:

— Je m'excuse de ne pas t'avoir appelée plus tôt. Quand je suis revenu d'Helsinki, j'ai eu la trouille, de toi, de moi, de nous. J'aurais aimé t'inviter à manger à la maison. Est-ce que c'est pathétique si je te dis ça?

— Tout sauf pathétique.

Lorsque nous arrivons chez moi, je sens que quelque chose me contrarie et cette crotte dans ma tête parvient à gâcher mon entrain. Nous sommes étendus sur mon lit, habillés, face à la grande fenêtre qui donne sur le centre-ville. Mes yeux sont grisés par les lumières multicolores. Sous nos corps crispés, mon matelas récupéré sur le coin d'une rue s'affaisse.

Bilan mental des conséquences…

— J'ai passé la nuit dernière avec Gab.

Rire franc de la part de Tom.

— En fait, je pensais que t'étais avec Oli. Il a tenu à venir ce soir, je me disais qu'il tripait sur toi.

Je lui raconte les événements des dernières semaines, incertaine de l'effet que cela produira sur lui. Une confiance inouïe me pousse à être transparente, à ne rien lui cacher. Je lui fais part de mes déceptions face à Gab.

— Est-ce que tu te sers de moi pour la récupérer?

Une formule négative offusquée éclate entre mes joues.

Nous discutons toute la nuit et ce n'est qu'à l'aurore que nous amorçons un rapprochement physique. C'est la première fois qu'un homme me pose autant de questions sur ce que je suis. Normalement, on me savoure comme un buffet chinois. Les hommes évitent de trop s'interroger sur ce qui pénètre dans leur bouche.

En m'endormant, vers 6 h, je pense à mon audition d'aujourd'hui en me demandant comment je vais réussir à faire ma routine après si peu d'heures de sommeil.

Deux heures plus tard, je me réveille entre les serres d'un homme cramponné à mes membres. Nous baisons avec toute la douceur du matin, en même temps que se pose la rosée sur les brins d'herbe. Mes doigts patinent en cercle sur sa peau satinée. J'ai une impression de continuité, de complémentarité. Déjà, j'entrevois ce que nous pourrions être, ensemble, et c'est avec la plus grande candeur du monde que je m'abstiens de lui dire que je suis bien avec lui.

Lorsque nous émergeons de ma chambre quelques minutes plus tard, Ane et Rasmus s'apprêtent à déjeuner avec El Tornado. Je fais les présentations et tout de suite, Rasmus, avec qui j'ai entamé un processus d'apprivoisement, vient s'asseoir sur mes genoux. Tendres bisous sur le visage. Ses lèvres humectées rebondissent sur mes joues qui rougissent d'enchantement. J'ai envie que Tom voit que je suis confortable avec les enfants et je remercie intérieurement le petit chérubin aux boucles couleur de beurre de se montrer si épris de moi. Je me rends aux toilettes et lorsque je reviens, Rasmus accourt vers moi et me demande, en pointant Tom :

— Kira, est-ce que ton papa peut rester et jouer avec nous ce matin ?

Mes dents se serrent malgré moi. Tom serait assez âgé pour être mon père mais je refuse de croire que je suis attirée par lui sous prétexte que je cherche à combler l'absence de mon propre père. Celui-ci a toujours été présent dans ma vie et il fut très attentionné. Aucune lacune visible ne peut résulter de l'éducation qu'il m'a prodiguée. La psychologie 101 me procure toujours cet effet : une forte aversion mêlée à la certitude inouïe que tout cela ne s'applique pas à moi.

Nous allons déjeuner au Mosaïk, au coin des rues Saint-Laurent et Fairmount. Les tuiles bigarrées des murs agressent mon œil fatigué par ma courte nuit. Je suis bercée par la chaleur excessive, à moins que cette canicule ne soit due à mon excitation d'être avec Tom. Un serveur mulâtre dépose devant nous deux cafés fumants à l'arôme de noisette grillée et le beurre qui fond sur les toasts de Tom ne me dégoûte même pas. Je suis perturbée par le fait de déjeuner avec un homme. Dehors, les gens marchent au rythme alangui d'un samedi matin englué dans la nonchalance.

Tom m'apprend qu'il a commencé sa carrière au cirque à l'âge tardif de vingt ans et qu'avant, il travaillait dans un bureau d'avocats en tant que secrétaire particulier. J'ai de la difficulté à l'imaginer, occupant un poste si sérieux. Au fil de nos conversations, je vois en lui deux personnes distinctes. Un artiste dont l'assurance et le charisme sont formels ; un bon vivant, un père dévoué, un homme présent. Je vois aussi un garçon triste et peu confiant, angoissé, autodestructeur, qui recherche l'approbation de tout le monde à défaut de s'aimer lui-même. Je suis attirée par son côté ténébreux. Je m'y retrouve. J'aimerais le sauver en même temps que moi. Un autre engrenage piégé se pointe à l'horizon, avec ses dents acérées et son caractère irrésistible.

— Il y a une fête « Bal des finissants » chez Mel ce soir. Tu veux être ma cavalière ?

J'acquiesce, soûlée par son accaparement. Il me reconduit à l'appartement et notre étreinte nous transporte aux limites de la perfection. Engloutie dans ses bras, je dépose mon nez dans son cou et il me demande :

— J'aimerais t'écrire une lettre d'amour, je peux ?

Comment pourrais-je l'en empêcher ? Je lui souris et l'embrasse. L'ascenseur me vole mon amour naissant.

Dans l'appartement, Nini me suit partout. Le chat se cramponne à ses jambes en chantant comme un cochon qui se fait égorger. Il réclame une autre ration de nourriture. Sa dernière s'étale en crêpe de vomi sur le plancher de la salle de bain.

— Comment ça se passe, avec Tom ?

— Je pense que je vais tomber en amour.

Un soupir de résignation se dégage des lèvres de Nini, elle bat des cils trois ou quatre fois et me serre dans ses bras, comme pour me réconforter à l'avance de l'adversité à venir.

17

Audition = cauchemar, séance de torture. Je n'ai rien à rajouter. L'audition d'aujourd'hui a lieu au centre communautaire où j'avais l'habitude de m'entraîner lors de mes premiers mois à Montréal. Je reconnais la majorité des artistes de cirque présents, que j'ai rencontrés lors d'événements circassiens, de premières de spectacles, ou de réputation. Au milieu du gymnase est installée une grande table rectangulaire où sont assis quatre hommes à l'aspect protocolaire. Ils sourcillent par intermittence en s'assommant les uns les autres avec leurs soupirs languissants. Les juges de l'audition. Allemands. Dans un coin du gymnase, Nini et Mel assemblent leur appareil aérien, un losange tridimensionnel. Le directeur du centre communautaire rencontre un à un les artistes afin d'établir un ordre de passage en fonction des nos besoins respectifs de préparation physique. Deux autres contorsionnistes participent à l'audition. Une fille, un gars. Leur technique, enseignée par l'entraîneur russe de l'École nationale, est impeccable et ils jouissent d'une force musculaire surhumaine. Pas moi. Je ne suis pas puissante, ni athlétique. J'ai de la témérité. Point. Je n'ai jamais vu leur numéro mais la barre est haute.

Réchauffement côte à côte. Lancées de regards obliques. J'espère que ma fatigue physique n'altérera pas ma performance. Dès les premières figures exécutées afin de tester mes repères et mon placement de corps, je sens que des efforts supplémentaires devront être déployés pour me permettre de survivre à ma routine. Assommantes bouffées de chaleur. Je mets dans mes oreilles la musique que j'écoute en boucle dans mon lecteur depuis trois jours. Emily Haines.

Les numéros défilent devant mes yeux livides mais je ne les vois pas, je ne capte que le mouvement, au ralenti, engloutie par le poids de mon exténuation. Et si je ratais toutes mes figures ? Et si je tombais dans un de mes mouvements chorégraphiques ? Et si la terre entière se rendait compte que je ne suis pas entraînée, que je ne suis pas perfectionniste, que j'ai préféré baiser toute la nuit plutôt que de me préparer pour cette audition ? Mains moites. Sueur qui semble gicler de mes paumes à l'infini. Arrosoirs corporels.

Des images de ma soirée avec Tom me parviennent, discontinues. Sa douceur, ses mains attentives au moindre de mes frémissements. Ses baisers dans mon dos. Fioles d'amour en doses capricieuses.

Le calme est revenu dans ma tête. On m'annonce. Affronter les juges qui font crisser leurs chaises en se déplaçant. Utiliser ma fatigue pour mieux incarner mon personnage. M'exposer, me vider, ouvrir mes entrailles devant ce public incongru.

Les quatre hommes me posent des questions sur mon cheminement en tant qu'artiste de cirque et je leur réponds, soulagée. La seule information qui en ce moment vaut mon attention est l'abîme dans les yeux bruns de mon homme, la vacuité de son absence, la quiétude qui me gagne lorsque je pense à notre réunion de ce soir, au bal.

L'audition n'a pas de suite. On m'a trouvée insipide et sans intérêt. Je n'y pense déjà plus.

À la maison, je réussis à faire une sieste de quelques heures, me procurant ainsi la motivation nécessaire pour me rendre à la fête. Mes intentions de me rendre à une soirée festive sont tributaires de la présence ou de l'absence d'un homme à convoiter. J'ai les habitudes d'une veuve célibataire de soixante-dix ans. Une journée satisfaisante se termine entre 21 h et 22 h. Toute activité en dehors de cette sphère exiguë est aussi attrayante que les asticots qui rampent sur le bord de ma poubelle en saison estivale. Le seul élément susceptible de me faire déroger à ma vie casanière est la présence d'un homme à séduire. Parfois, une inspiration m'arrache à mon lit et me propulse vers une soirée digne d'intérêt mais ces événements isolés sont rarissimes.

— À l'aide ! Qu'est-ce que je mets ?

Panique de Nini.

— Respire avec tes narines pis montre-moi les choix disponibles.

Elle s'exécute, protocolaire. Je lui pointe un des ensembles, une robe bleue picotée de points blancs avec des jambières en laine grise.

— Pourquoi ça plus que les autres ?

Je lui explique encore pourquoi elle serait sublime accoutrée d'un uniforme d'éboueur. Déroutée par son incapacité maladive à savoir ce qu'elle préfère, son besoin de demander l'avis d'autrui pour toutes les décisions futiles auxquelles elle est confrontée, je soupire en rêvant à Tom. Le claquement de langue de Nini chasse mes fantasmes volatiles.

Ses battements de cils fendent l'air comme les ailes d'un colibri. Ses yeux s'embrument d'une humidité mielleuse. Je l'aide. Elle le mérite bien.

Elle n'a pas de cavalier pour se rendre à la fête, je remplis cette fonction jusqu'à ce que je retrouve Tom là-bas. J'enfile des pantalons très ajustés et un veston chic, tous les deux noirs, avec une chemise blanche au décolleté plongeant — pour autant qu'on puisse plonger notre regard dans une taille B — ainsi que ma sempiternelle cravate. Tenue lesbienne. Ma mère s'habille de cette manière pour sortir. Il me manque la nuque rase et quelques livres supplémentaires pour compléter l'image précise que j'ai dans la tête. Je l'ai côtoyée toute mon enfance. Un taxi nous emmène dans le quartier gai. Parfait.

Plusieurs personnes ayant participé à l'audition cet après-midi sont présentes, bières en main, allures décontractées. Tom n'est pas encore arrivé. Je l'appelle mais je tombe sur la boîte vocale de son cellulaire. En entendant sa voix rauque enregistrée, une douce chaleur se diffuse dans ma poitrine.

— Salut Tom, je suis arrivée au bal et je me demande où se trouve mon cavalier. Rappelle-moi s'il te plaît.

J'essaie de le rejoindre à plusieurs reprises mais je dois me résoudre à passer la nuit sans la compagnie masculine convoitée. Je rentre seule en taxi à l'aube. Nini désire rester jusqu'à la fin des célébrations, fidèle à sa réputation de parasite. Alors que j'attends le taxi sur le trottoir, bras croisés et tête basse, un homme aux cheveux gras poivre et sel s'arrête à ma vue avant de me lancer :

— Euh, scuse, ch'peux-tu quand même toucher ?

— Mmm… je…

— Tu catches pas, hein ? J'veux t'pogner une boule.

Sa main sur mon sein ne reste là que quelques secondes. Les théories parentales sur les étrangers se rapprochent parfois de la réalité. Le minable agresseur s'éloigne lorsqu'il voit que je ne fais pas un drame de son maigre attouchement. J'avais été avertie, je ne suis pas surprise. Comme s'il retrouvait la raison, il se retourne et s'excuse. Je lui souhaite une belle soirée, quand même.

Déception de m'être fait poser un lapin par Tom. Brossage de dents en bonne et due forme.

Plantation de ma tête dans mon oreiller. Possibilité de faire l'étoile dans mon lit en dormant. Option non attrayante.

***

Le lendemain, dimanche, ma « nuit » de sommeil est interrompue par un réveil obligé en raison d'une répétition pour un spectacle non rémunéré qui aura lieu mardi prochain. J'ai dormi un symbolique sept heures au cours des quatre derniers jours. Exténuation.

Armée de mon appareil qui pèse cent mille tonnes, je parcours un kilomètre avant de me stationner sur un trottoir où le metteur en scène du spectacle viendra me chercher afin de m'emmener à l'entrepôt où se déroule l'événement, dans un secteur industriel de Laval. Dans sa voiture, une jeep noire désuète, il m'apprend qu'il a composé les pièces musicales de toutes les performances du spectacle. On me demande parfois de travailler sur une autre musique que celle que j'utilise et, la plupart du temps, ces substituts me déplaisent. Mais cette fois, je suis tombée sur une pièce très inspirante. Seul point positif de ce contrat non lucratif et contre lequel je vocifère depuis que je l'ai accepté.

Dans un local poussiéreux, on me demande de faire ma routine à répétition afin d'y ajuster les mouvements des danseurs et des chanteurs qui gravitent autour de mon numéro. J'entends, en trame de fond, le bip régulier de mon cellulaire. Vérifier le nom de la personne qui a essayé de me contacter devient la seule pensée existant dans mon cerveau aux capacités altérées par la fatigue. La répétition s'étire autant que mes jambes. Lors d'une pause café sans café, je saute sur mon cellulaire et constate que Tom m'a appelée. Je compose son numéro, fébrile.

— Ah ! Salut toi. Comment ça va ? Qu'est-ce que tu fais ?

— Je suis un peu fatiguée, je suis rentrée tard du party. Je suis en répétition. Et toi, tu fais quoi ?

— Je rénove ma maison. Désolé pour hier, je voulais faire une sieste avant d'aller te rejoindre mais je ne me suis pas réveillé avant ce matin. J'étais mort après la nuit que j'ai passée avec toi. Je viens juste de prendre ton message

— C'est correct, t'as rien manqué.

Sauf moi.

— Oh ! C'est dommage que tu sois en répétitions aujourd'hui, j'aurais aimé aller déjeuner avec toi...

— Moi aussi, en plus, je ne suis même pas payée pour faire ce show.

— Ah, c'est moche. Bon, on se rappelle ?

— Oui, OK. Passe une belle journée.

— OK, bye.

On me libère pour quelques heures, pendant que les autres artistes répètent leurs numéros. Un enchaînement complet du spectacle est prévu pour 16 h. J'aurais envie de les laisser se débrouiller sans moi et d'aller rejoindre Tom. Mon scénario romantique avorte lorsque je constate qu'il me faudrait voler une voiture pour arriver à mes fins. Je m'assois dans un coin de la pièce, sur une parcelle de béton humide et souillée. Mes lèvres se bombent d'elles-mêmes et adoptent une attitude boudeuse proportionnelle à ma déception. Je sors le petit cahier bleu poudre dans lequel je relate les faits intéressants de ma vie. Peu nombreux. Je décide de devancer Tom dans sa lettre d'amour et de lui en écrire une.

Pour une fois, j'ai envie d'être vulnérable avec un homme. Je veux me laisser tremper dans cette tacite liberté, m'y laisser diluer et apprendre à apprivoiser ta présence, ta docile absence. Pourtant, une angoisse m'étreint. J'ai peur que ma dévotion fragilise la relation diaphane que j'ai avec toi, au lieu de m'émouvoir par sa douce et surprenante évolution.

Je t'aime déjà... peut-être.

Lorsque les répétitions prennent fin, le metteur en scène se débarrasse de moi à la première station de métro que nous croisons. J'ai l'impression que s'il avait pu le faire, il m'aurait projetée hors de sa voiture alors qu'on roulait sur la Métropolitaine. C'est par inconscience plus que par méchanceté s'il ne m'a pas proposé de me déposer à la porte de chez moi, avec l'appareil léger et ergonomique qu'il m'a imposé pour ce spectacle.

En arrivant à la maison, étourdie par mon rythme effréné des derniers jours, je ne prends même pas la peine de manger et je plonge dans mon lit, enrubannée dans mes vêtements d'entraînement qui embaument la sueur.

18

Je me prépare pour le spectacle gratuit. Un buffet s'étale en une kyrielle de couleurs fadasses sur une table nappée d'un vinyle blanc autour de laquelle sont attroupés les autres artistes et techniciens de la soirée. Les bouchées miniatures sont dévorées à coups de mâchoires frénétiques, sonores. Je me félicite de mon abstinence alimentaire lorsque je vois la couleur louche des carottes. La chanteuse du spectacle vient me parler, un morceau de fromage à la crème gigote au coin de sa lèvre supérieure comme un nounours sur le bord d'une narine. J'écoute en parties détachées sa conférence privée sur l'importance de bien se nourrir avant d'entamer une activité physique. Je bâille en méditant sur les amas de graisse qui rembourrent ses cuisses. Je ne désapprouve jamais le surpoids d'autrui mais je ne me gêne pas lorsqu'on me réprimande au sujet de mes propres vices. Ne joue pas dans mes plaies et je ne triturerai pas les tiennes. Bitch.

Performance impeccable.

De retour aux loges, je me démaquille avec une serviette humide que je traîne sur mon visage comme une guenille sur une table à manger. La sonnerie étouffée de mon téléphone résonne à travers l'entrepôt servant de pièce de rangement et de préparation pour le spectacle. J'accours vers mon sac que je renverse sur le plancher afin de trouver mon cellulaire. Ma brosse à dents dénudée de son protecteur en plastique tombe sur la surface bétonnée et j'étouffe mon cri d'angoisse en empoignant mon téléphone. C'est un message texte :

Tu es un peu trop dans ma petite tête en ce moment, plus de place pour penser. Je n'ai pas le choix de venir te voir ce soir. 22 h.

Je reste plusieurs minutes assise en petite boule, ouatée dans mon plaisir. Je range mes effets personnels dans mon sac et me rends à la salle de bain afin de désinfecter ma brosse à dents.

J'attends la chanteuse du spectacle qui doit me déposer chez moi. Elle s'éternise sur les lieux en une série de bavardages inutiles avec trois techniciens. Mon manteau sur le dos. Une coulisse de sueur chatouille ma colonne vertébrale. Rien n'a d'importance puisque je vois Tom ce soir.

Dans la voiture, la tirade oppressante sur les attraits de l'alimentation équilibrée continue et j'opine en rassurant mon interlocutrice que je ferai des efforts sur ce point. Non.

Manger, ingurgiter de la nourriture, faire quelques excès, sont des actions respectables. Il est plus toléré de manger davantage que de faire attention à ce que l'on mange. L'action de se priver est au contraire jugée, censurée, critiquée, sermonnée. Il n'est pas question d'anorexie mentale mais d'une conscience de son corps et de ses besoins. Je choisis de me restreindre dans mon alimentation. Est-ce que je me sens coupable lorsque je mange trop ? Ai-je envie de me punir lorsque je fais des excès ? Oui, bien entendu, mais qui ne ressent pas cela ? La différence entre moi et une personne souffrant d'embonpoint est que, moi, je réussis à me priver. Tout le monde essaie, un jour ou l'autre. L'obésité deviendra bientôt la première source de mortalité au Canada. Environ douze millions de Canadiens accusent une surcharge pondérale. Face à ces chiffres alarmants, j'ai l'impression d'être du bon côté de la balance. Peut-être aussi suis-je misérable. Qui le sait vraiment ?

***

Rasmus dort sur le futon. Son petit corps prend la forme d'une pelote de laine angora. Le bruit régulier de sa respiration apaise l'ambiance doucereuse de l'appartement déjà habité par le vent qui fait siffler et claquer les fenêtres.

Je m'assois avec Ane et Nini à la table de la cuisine et nous buvons du thé au jasmin. Tom arrive vers 23 h, à bout de souffle, détrempé.

— J'ai couru jusqu'à chez toi, j'avais trop hâte de te voir.

Je suis émue. Lorsque je le serre dans mes bras, c'est chaud, moite. Une légère odeur de sueur taquine mes narines. Il enlève son pull à capuchon sous lequel se cache un chandail rouge avec une écriture cyrillique jaune. Je le guide vers ma chambre, en m'excusant auprès de mes amies. Nous nous répandons sur mon lit en nous disséquant.

— Je t'ai écrit une lettre.

— Déjà ? J'ai pas fini la tienne... Tu me la fais lire ?

— Euh, tu veux la lire devant moi ? C'est gênant.

— Ben non.

Je vais chercher la page blanche sur lequel mes mots se sont échappés. Ils dansent, rieurs, sur le papier lisse. Je la tends à Tom et il se met à lire pendant que je regarde ailleurs pour masquer mon chaos intérieur. Lorsqu'il replie la lettre qui crépite dans la paume de sa main, il me regarde avec sévérité et me dit :

— Tu es trop bien.

Il me serre dans ses bras, désorienté.

— Aime-moi, aime-moi.

Je l'aime déjà. Peut-être

19

VILLE DE QUÉBEC.

J'arrive à la gare d'autobus et ma mère vient me chercher. Elle trotte vers moi comme un écureuil dans la clairière d'un boisé. J'ai envie de rire. Elle est émouvante. Elle se lève sûrement la nuit pour être mignonne. Elle porte encore une de ses djellabas mais cette fois-ci, elle est coupée à la hauteur de la taille et affiche un paysage africain parsemé de zèbres. Les patchs de son jeans acheté au Village des Valeurs représentent une série d'animaux de la ferme aux couleurs campagnardes. Elle me laisse conduire, suite à une discussion concernant son incapacité à combiner l'action de me parler avec le fait de se concentrer sur la route et ses multiples signaux. Le siège du conducteur est constellé des fientes séchées de son perroquet. J'évite de m'accoter sur le dossier suspect.

Maison rectangulaire et blanche. Couscous végétarien pour moi. Pas le courage de refuser à ma mère le loisir de me voir manger la nourriture qu'elle prépare. Ses doigts boudinés, inquiets, me servent une petite assiette où s'agglomèrent des milliers de grains de semoule et une bouillie couleur abricot contenant divers légumes saisonniers et des pois chiches. Mon téléphone sonne :

— Allo ?

— Allo.

Tom. Il a arrêté de se nommer. Je reconnais sa voix, il reconnaît la mienne.

— Es-tu rendue à Québec ?

— Oui, je viens juste d'arriver chez ma mère.

— Je voulais venir te porter un café ce matin mais je n'ai pas eu le courage.

— Ah ! T'aurais dû. Dérange-moi autant que tu veux.

— Bon, je voulais juste te dire que je pense à toi. Passe une belle fin de semaine et dis bonjour à ta mère de ma part.

Sa dernière remarque me fait sourciller. Pourquoi veut-il que je salue ma mère pour lui ? Voudrait-il s'impliquer à un niveau auquel je n'aurais pas pensé ?

— À bientôt Tom, merci d'avoir appelé.

***

Samedi, je vais au Village des Valeurs car je dois me dénicher un costume érotique. Avec mes deux colocataires, Nini et El Tornado, j'organise une soirée pour fêter la remise en forme de notre appartement.

Il me reste une semaine pour assembler les divers accessoires dont j'ai besoin pour compléter mon costume. Je veux être belle pour Tom. Au magasin, je trouve une cravache noire, des menottes en aluminium, un collier à *studs* et et des bas résille. Ma mère m'accompagne. Elle trottine entre les rangées avec sur les bras des dizaines de chemises à carreaux et des chandails aux images amérindiennes. On n'a jamais trop de ces choses selon elle. C'est comme les boîtes de conserve que mon père achète en quantité industrielle sous prétexte qu'elles sont au rabais. Il en aurait assez pour subsister pendant une année complète en quarantaine forcée. Mes parents sont des écureuils.

La journée est radieuse. Les feuilles des arbres arborent les teintes automnales, filtrant de leurs corps vaporeux la lumière embrasée de l'après-midi, tel un million de vitraux bariolés. Je conduis le modeste bolide de ma mère sur le boulevard de la Canardière en direction de l'École de cirque, où se déroule mon spectacle de ce soir. Gab m'appelle. Je réponds :

— Allo Gab.

— Salut Kira, c'est Gab.

— Oui… Je sais… Ça va ?

— Oui, pas mal. Écoute Kira, j'organise un stage de création avec quelques amis et j'aimerais, si tu en as envie, que tu viennes faire de la recherche avec nous. J'ai contacté d'autres artistes pour un projet précis. Nous serons cinq, en plus de quelques autres acrobates. Est-ce que c'est quelque chose qui t'intéresse ?

— Euh, tu me niaises là ! C'est certain que ça m'intéresse. Quand est-ce qu'on commence ?

— De 13 h 30 à 15 h à partir de lundi, et si ça te dis, on peut continuer à s'entraîner ensemble après.

— OK, merci Gab. T'es géniale.

— Bonne fin de semaine. Je t'envoie les informations par courriel.

Tout de suite après lui avoir parlé, j'appelle Nini afin de lui annoncer la nouvelle.

— Bebi, t'es juste une grosse charogne sale !

Une fierté invincible me submerge, foudroyant d'un seul coup ma mauvaise estime personnelle.

— Hihi. C'est malade, hein ? Je suis en train de magasiner mon costume pour le party érotique. As-tu trouvé le tien ?

— Yes madame. Tu vas halluciner.

— OK, j'ai hâte de voir ça. À demain soir.

Avant mon numéro, on m'enroule dans un amas de fourrures dont émane une discutable odeur de bête mouillée et deux costaux me transportent jusqu'à mon appareil. Entrée exotique. J'ai certaines réserves concernant cette approche et je cherche en vain la pertinence d'une telle mise en scène. Je bouche mon nez le temps qu'on me dépêtre de cette touffe nauséabonde. Je fais une routine qui, sans être parfaite, me satisfait. Notre numéro de main à main avec No et Ève est impeccable.

J'ai l'impression que ma vie ne cesse de s'améliorer depuis deux semaines. Je ne m'interroge même pas sur une éventuelle régression de sa qualité.

20

CERTAINES APPRÉHENSIONS s'immiscent dans mon esprit concernant l'atelier de création. Faire de la recherche comporte une inévitable part d'erreur, à l'intérieur de laquelle se dissimulent des réalisations grandioses. Lorsque je fais de la recherche à la maison, je ne suis confrontée qu'à moi-même. Au cours des deux prochaines semaines, tout ce que je ferai, tout ce que j'essaierai, sera jaugé par le reste des artistes qui participent à la création. Ils sont tous plus expérimentés que moi et la plupart ont fait leurs études à Montréal. J'ai peur que ma présence au sein du groupe ne soit pas appropriée. J'ai peur qu'on me répudie, qu'on ne comprenne pas pourquoi Gab m'a invitée à participer au projet.

Nous sommes quatre artistes, en plus de Gab: un équilibriste, un gars qui fait du breakdance, la contorsionniste qui était présente à l'audition et moi. Gab nous regroupe en cercle afin de nous parler de ses intentions.

— J'ai envie de travailler sur une structure d'impro dans laquelle on utiliserait aussi l'acrobatie. J'ai pensé à plusieurs exercices afin de nous habituer à coopérer. Apportez des musiques qui vous inspirent pour les séances futures. À la fin de la semaine prochaine, j'aimerais qu'on présente aux autres artistes un enchaînement de tout ce qui nous aura semblé intéressant. Dispersez-vous dans la salle et commencez à bouger en vous concentrant sur vos différents points d'appui au sol. Si vous voulez, vous pouvez intégrer des mouvements techniques.

Lorsque j'étale mon corps sur le tapis de danse grisâtre, la porte du local s'ouvre. Tom. Il me fait un clin d'œil et je suis rassurée de constater qu'il ne m'ignore pas.

La musique débute, une pièce calme et légère. Les autres commencent à bouger. Je les imite, incertaine et maladroite. J'ai déjà fait des exercices de ce genre mais je suis trop accaparée par mon sentiment d'infériorité pour être en mesure d'exécuter quoi que ce soit. Tous les mouvements que ma tête dicte à mon corps sont le reflet de ce que les autres exécutent. Mimiques réchauffées, mécanismes insipides. Après une vingtaine de minutes, mes mouvements deviennent plus fluides, plus viscéraux. Mon plaisir s'accroît et les traces de mon incertitude s'estompent. Les exercices se succèdent. Je ne suis pas la seule à faire des erreurs et à estropier un exercice avec ma stérilité artistique.

Vers 15 h, Gab annonce la fin de la séance d'expérimentation et invite ceux qui désirent s'entraîner à rester jusqu'à la fin de l'après-midi. Je me retrouve en tête-à-tête avec elle, ce qui me plaît beaucoup. J'ai peur de me faire détrôner comme partenaire d'entraînement. Dans un coin, Tom bouge, se tortille, boite et grimace au son d'une musique de Frank Zappa. Deux jeunes jongleuses s'affairent à lancer et à rattraper de multiples diabolos en récitant un texte inédit. Je m'efforce de tenir en équilibre mais mon dos trop mou me fait tomber.

***

Fin de la première journée.

Tom, assis du côté passager, se retourne quelques fois au cours du voyage et me glorifie de sourires irrésistibles. De son côté, Gab m'offre des billets pour aller voir un spectacle de danse ce soir. Elle laissera les billets à l'entrée de la salle à mon nom. Son amabilité mielleuse me tord la conscience. J'ai choisi Tom, mais comment annoncer cela à Gab ?

« Gab, je t'aime beaucoup mais je préfère Tom. J'espère que tu n'es pas trop déçue. N'hésite pas à continuer d'être mon amie, de m'inclure dans tes projets et à me donner des billets de spectacle gratuits. »

Peut-être pas…

Gab et Tom me laissent au coin des rues Laurier et Saint-Denis. Je traîne mon corps froissé jusqu'à l'appartement. Je suis vannée par ma première journée de création. J'invite Nini à venir avec moi au spectacle, qui s'avère audacieux, mélancolique et hilarant. Gagnée par l'euphorie que m'a transmise cette soirée, j'appelle Tom. J'ai envie de le voir. Une voix embarrassée me répond :

— Kira, je ne peux pas te parler, je suis avec Gab et nous répétons un exercice pour notre stage But de demain matin. M'appelles-tu pour une raison en particulier ?

— Ben, je voulais te voir.

— Je ne pense pas pouvoir, je suis désolé.

— Ah, OK.

— Bon, on se voit demain à la création ?

— Ouais, c'est ça.

Nini décide de rester un peu dans le bar où s'est déroulé le spectacle et je me mets en route, vaguement alertée par la noirceur des rues qui mènent jusqu'à chez moi. Je suis dans un état funeste lorsque j'arrive à la maison. Je ne cesse de penser à Gab et à mon indignité face à ses possibles attentes ; à Tom et à l'absence dans sa voix de tout à l'heure. Je décide d'appeler Gab.

— Allo, c'est Kira. Je te dérange ?

— Euh, je viens de terminer ma séance avec Tom.

— OK… Tu sais… lorsque j'ai passé la soirée chez toi la semaine dernière et que tu m'as dit que tu aimerais qu'on voie si on pouvait être ensemble, ça m'a beaucoup touchée. Si tu m'avais proposé cela il y quelques mois, j'aurais accepté. Mais en ce moment, j'ai l'impression que ton désir d'être avec moi est guidé par ta jalousie face à Tom et par ta peur d'être seule… Je suis bien avec lui… Ça ne change rien aux sentiments que j'ai pour toi. Je te respecte et c'était important pour moi d'être claire avec toi. Qu'est-ce que tu en penses ?

— Euh…

Au loin, El Tornado me crie :

— Poutain Kira, viengn voirr la videou. Le chico sé prend oune bite énorme en el…

— Plus tard Javier ! Scuse Gab, t'allais parler…

— C'est certain que ça me fait quelque chose que tu sois avec Tom et ce soir, j'espérais que tu m'appelles pour qu'on se voie mais quand j'ai vu que tu as préféré l'appeler, j'ai compris. Je t'apprécie aussi. Je crois que tu as raison, je ne pense pas que je veuille être en couple avec toi.

— Merci… je veux dire, de comprendre. Je suis soulagée que tu ne sois pas fâchée.

— Bon, je vais me coucher. Bonne nuit et à demain.

— Ouais, à demain. Euh… Gab ?

— Quoi ?

— Merci de m'avoir invitée à faire la création.

— Ah ! De rien… Je suis contente que tu sois là. J'ai envie de partager ça avec toi.

— Moi aussi, bonne nuit.

— Bonne nuit.

Dès que je raccroche, mon téléphone sonne à nouveau.

— Est-ce qu'il est trop tard pour que je vienne te voir ?

Tom.

21

Le reste de la semaine se déroule sans changement. Tom et moi échangeons des regards de complicité lors de nos après-midi de création et parfois, lorsqu'il n'y a presque plus personne dans le gymnase, il se jette sur moi et vient m'enlacer. Nous roulons en tandem sur les tapis de gymnastique, gloussant dans notre volupté partagée, imposant au monde ce bonheur fugitif. Gab s'applique à détourner le regard. Elle est douée.

Le jour de notre fête érotique, il pleut. Nini, qui était partie faire une série de spectacles dans un bled perdu des États-Unis, ne revient que cet après-midi. J'amorce seule la préparation de l'appartement en vue de la soirée. Je nettoie le plancher et agglomère les plantes dans un coin inaccessible afin qu'elles ne se fassent pas massacrer. Je prépare une liste de lecture musicale sur mon ordinateur et je vais chercher de la glace au dépanneur, que je prévois verser dans notre baignoire de cuisine afin d'y plonger les bouteilles d'alcool.

Nini arrive vers 14 h.

— Veux-tu venir *Chez Claudette?*

Elle commande une poutine adipeuse, deux hot-dogs colossaux, triple tout, et un lait «batte» à la fraise. Je me demande comment autant de nourriture trouve son chemin dans un si petit corps. En revenant de *Chez Claudette*, nous passons par le dépanneur afin d'acheter des caisses de bières pour les vendre à prix modique aux invités.

Quand Tom arrive sur l'heure du souper, les lumières ont été tamisées, les divers accessoires, lubrifiant, sauce chocolatée pour le corps, fouet, menottes, ont été disposés à des endroits stratégiques de l'appartement et nous avons organisé un dispositif de caméra vidéo. Celle-ci est pointée en direction du futon et l'image est retransmise sur la télévision faisant face au lit, de manière à ce que les personnes qui font des cochonneries puissent se voir. Ce n'est qu'une énorme facétie, il est évident que cette soirée ne dégénérera pas en orgie.

Les invités tardent à arriver et nous nous enfermons dans ma chambre pour plus d'intimité. Nous enfilons nos costumes. J'ai des bas résille avec, pour cacher mes fesses, une petite culotte noire surmontée d'une ceinture en faux cuir. Pour le haut, je mets un soutien-gorge pigeonnant que Nini m'a prêté et qui construit un précipice entre mes deux seins plus joufflus depuis que je couche avec Tom. Gants lustrés, collier à pics, lunettes de secrétaire pétasse, bottes de salope. Comme seul élément de costume, Tom se pare d'un minishort en cuirette muni d'un espace géant pour le pénis qu'il ne remplit pas. Soulagement.

— Comment tu trouves mon costume?

Il donne quelques coups de bassin dans l'air.

Pour toute réponse, je dépose ma tête sur ses pectoraux lisses. Je hume la dépression de son cou d'où exhale un effluve boisé, masculin, dont mes narines deviendront esclaves.

J'aurais envie qu'il me fasse l'amour mais je veux prolonger ce moment d'attente, de guet.

Les invités commencent à affluer. La porte de ma chambre filtre mal les réactions sonores de mes colocataires hystériques qui prennent des clichés des nouveaux arrivants. Mel arrive emmaillotée dans un rouleau de papier cellophane tandis que son copain est entouré de grappes de ballons blancs. Certains arborent un costume classique et d'autres, plus folichon. Nini porte une nuisette rétro couleur pêche qui moule son corps miniature. Ses longs cheveux roux descendent en vagues polies jusqu'à ses fesses. Il a été spécifié dans notre invitation que tout contestataire du thème érotique serait puni par les hôtes de la soirée. Un homme daigne se présenter sans costume et nous l'attachons à l'aide de menottes bidon sur le trapèze accroché au plafond du salon, avant de le fouetter. Nos cravaches tournoient dans les airs et terminent leur course sur les fesses du contrevenant qui glousse de lubricité.

Tom me donne une enveloppe menue contenant trois comprimés en m'expliquant qu'il n'a pas réussi à trouver d'ecstasy, mais qu'il m'a apporté du speed à la place. J'avale une des pilules avec une gorgée de vin. Tom m'imite. Le dernier comprimé se retrouve dans les mains d'un homme constellé de tattoos et portant des ailes d'ange en plumes blanches, accessoire qu'il me donnera à la fin de la soirée en même temps qu'un baiser sur mes lèvres pétrifiées. J'apprends après que cet homme a déjà couché avec la fille de Tom. Le subtil désir que j'ai ressenti lorsqu'il m'a embrassée se transforme en un dégoût plus ou moins tenace.

Mes mâchoires se crispent. Mes mains trahissent un tremblement artificiel. Je dégringole dans l'abysse de mon hystérie. Alors que je danse sur la piste improvisée en plein milieu de notre salon, Tom vient se coller à moi et nous dérivons vers ma chambre, trop épris l'un de l'autre pour continuer à afficher notre impudeur.

— J'ai terminé ta lettre d'amour. Mais j'ai pas eu le temps de la recopier.

Il sort un petit livret noir et l'ouvre à la page convoitée. Il se met à réciter les mots et les esquisses de phrases en même temps qu'il me pénètre. Un étau brûlant se referme sur moi.

Il me parle de l'odeur vanillée d'Oréo qui ne le quitte plus depuis qu'il me connaît, mon odeur; de la couleur rosée de ma fleur, qu'il aime déguster et faire éclore. Il me parle de mes yeux, imposants, intimidants; de sa queue qui le réveille en pleine nuit, gonflée de désir et qui, n'ayant pas un accès immédiat à mon corps, se déverse dans sa main fiévreuse.

J'aimerais pouvoir me départir de ma frigidité, celle qui est apparue avec le désamour qui accompagnait mes fréquentations masculines. J'aimerais pouvoir donner à Tom le plaisir de me voir jouir, une jouissance non cérébrale, nécessaire. Son explosion me donne la chair de poule. Je l'étreins pour capter une parcelle de son extase et pour m'imprégner de lui, à défaut d'avoir son fluide en moi, fluide resté dans le fond d'une capote jetée sur le sol.

Je lui donne une nouvelle lettre.

Choses que j'ai envie de faire avec toi :

Avoir des moments d'inconfort pour se rendre compte qu'il nous reste beaucoup de choses à comprendre l'un de l'autre.

Marcher longtemps dans les rues désertes le soir, et s'embrasser dans les coins sombres.

Apprendre à faire l'amour.

Faire un igloo et dormir dedans en ayant froid.

Aller voir un spectacle et se sentir inspirés et motivés pour créer de nouveaux numéros.

Pique-niquer dans un parc un lundi midi.

Sortir dans un bar miteux où s'entassent les habitués du quartier.

Aller dans un motel de passe, et y faire une « sieste ».

Aller au magasin érotique et se laisser tenter par des gadgets.

Écrire ta rubrique nécrologique.

Aller au Cinéma L'Amour.

Faire la grasse matinée, déjeuner au lit, faire l'amour, dormir encore, faire l'amour.

Acheter des sous-vêtements affriolants et te les montrer, pour que tu les déchires sur moi.

Te faire mal.

Te plaquer sur un mur, avant de te sucer.

Te mordre jusqu'au sang.

Me faire prendre en pleine nuit, à moitié somnolente.

Ne rien faire.

Aller dans un cimetière afin de sacrifier des chats de luxe.

Te niaiser.

Te respirer.

Me noyer dans un lac pour que tu viennes me sauver.

Me faire violer par toi.

***

— Il faut que j'y aille Kira.

Ces mots, maintes fois répétés lors de nos dernières rencontres, prennent aujourd'hui un caractère insurmontable. Drogue. Je cache mal mon irritation. L'insuffisance de sa présence pèse lourd dans mes pensées. Compression. Une nostalgie menaçante me gagne, une onde glacée qui coule dans mes veines, qui remplace mon sang, ma vitalité. Retour à la réalité blessant. Le laisser partir. Ne pas le retenir.

Je ne dors pas. Je nettoie les restes de la fête: bouteilles de verre éclatées en un millier de prismes acérés, meubles renversés, béton imprégné de bière, El Tornado et son vomi autour.

Lorsque je gagne le gymnase à 13 h 30 pour la création, mes pupilles encore dilatées par la drogue se chargent d'anéantir la contenance qu'il me restait. Tom ne vient pas créer, il dort à poings fermés, inconscient de mon état flottant.

22

Jeudi. Une journée avant la présentation officielle de notre travail de recherche. Nous tentons de structurer les différents tableaux qui méritent d'être vus. Les échanges avec les autres sont restés très froids, compétitifs. Gab dirige notre travail mais le processus est collectif. J'essaie de trouver ma place au sein du groupe.

Nous écoutons plusieurs pièces musicales afin de trouver celles qui seront utilisées demain. Nous présenterons vingt et une minutes de danse improvisée, de portés acrobatiques et de contorsion. C'est un test, une épreuve qui déterminera si mon nom sera retenu lors des futurs projets de Gab.

Après la période de recherche en compagnie des autres acrobates, il ne reste plus que Gab et moi dans un coin de la pièce. Tom à l'autre extrémité. Je m'efforce de ne pas laisser dériver ma concentration sur ce que fait Tom mais mon entreprise s'avère peu concluante. Il me fait signe de le rejoindre et je délaisse Gab ainsi que mes figures trop exigeantes pour m'approcher de lui.

— On se sauve ensemble quelque part ?

Incapable de lui résister. Je retourne voir Gab à laquelle je donne une excuse bidon en l'accompagnant des mouvements dorsaux appropriés :

— J'ai mal à ma scoliose aujourd'hui.

J'ignore si ce mensonge-là est dommageable. Probablement pour moi. Je m'éclipse avec Tom.

Dans l'autobus, il me cajole avec fureur. Je me demande si les gens qui nous entourent trouvent étrange de voir une jeune fille, qui a l'air d'une gamine de quinze ans, embrasser et étreindre un homme aussi vieux. Cette pensée me torture d'excitation.

Dans mon lit, devenu le « quelque part » dont Tom m'a parlé, je lui demande ce qu'il aimerait faire.

— Je ne suis sûrement pas venu ici pour parler.

Le tranchant de sa voix me blesse. Je croyais qu'il était différent. Je redeviens du fast-food. Il me consomme. Je n'en ai plus envie.

Pourtant, ses gestes sont divins. Il me vénère, me donne l'impression d'avoir besoin de moi. Est-ce que tous les hommes qui baisent ont cette attitude ? Devrais-je me sentir en danger devant sa campagne de séduction égoïste ?

Il oublie souvent des choses chez moi. Son portefeuille, son cahier de notes, sa montre, son cellulaire.

— Comment tu fais pour oublier tout ça chez moi ?

— Comme ça, j'ai une bonne raison de revenir te voir.

Ne suis-je pas une bonne raison en soi, la meilleure des raisons ?

Lorsqu'il part je lui demande en riant s'il n'a rien oublié.

— Non, je crois que j'ai tout, le compte est bon.

Je le déteste, lui et ses exigences d'enfant. Il veut tout posséder à la fois, ne rien laisser de côté. La liberté, moi. Je me déteste d'avoir esquissé avec lui un début d'histoire, le premier chapitre de notre amour. Je rumine encore quelques heures cet épisode désagréable. Je chique les résidus de notre relation.

Plus tard dans la soirée, il m'appelle pour me demander mon adresse courriel et je la lui dicte sans émotion.

Dans mon cahier, je lui écris une autre lettre, que je ne lui donnerai pas :

On s'attachera l'un à l'autre jusqu'à ce que tu te rendes compte que tu es impuissant face à mes besoins grandissants. Tu trouveras que je suis une jeune femme aimable, tu me désireras toujours mais ce ne sera pas suffisant. Ça me fait mal d'envisager que tu puisses te lancer dans une relation semblable, mais avec une autre fille, une autre putain. Peut-être suis-je moi-même cette autre putain, remplaçante de la dernière femelle que tu as fait trembler sous ton corps.

Le lendemain, à l'entraînement, je décide de l'ignorer. Je m'étire à l'aide des espaliers et il s'avance vers moi, avec son sourire ravageur.

— On dirait que tu me fais la gueule.

Je détourne le regard, armée d'une moue dégoûtée, griffée d'indifférence. Jeu puéril d'adolescente blessée.

Nous devons présenter aux autres artistes du stage le résultat de notre travail des deux dernières semaines. Ils sont tous assis, feuilles de note et crayons en main. Nous prenons place sur une scène improvisée pour l'événement, délimitée sur le sol par des morceaux de ruban adhésif coloré. La première musique débute et le reste de notre numéro ne coule pas comme il le devrait.

Les spectateurs partagent avec nous leurs commentaires. Positifs. Ils n'étaient peut-être pas attentifs. Gab se lève solennellement.

— J'aimerais qu'on poursuive notre travail chez moi la semaine prochaine. On pourrait faire deux ou trois jours par semaine.

Devant le visage peu expressif de mes partenaires, je constate que je suis la seule à être exaltée devant cette nouvelle. Les autres artistes présentent une partie de leur recherche et je suis estomaquée devant leur intensité, leur audace. S'il m'était donné un jour d'atteindre une telle maîtrise de mon art, un tel dévouement, je crois que je serais comblée pour le reste de ma vie.

À la fin de la journée, Gab me dépose à la maison et me raccompagne jusqu'à la porte d'entrée. Je l'embrasse et la remercie pour cette opportunité, ivre de gratitude, de mélancolie rapiécée.

— On devrait commencer les entraînements la semaine prochaine, mercredi ou jeudi.

Je lui souris et me retourne, mi-heureuse, mi-abattue. Le regard de Tom, croisé avant mon départ du studio de création, m'a donné une chair de poule dont le caractère définitif me trouble plus que tout.

***

— Kira ? C'est Gab. Je suis dans ton coin. Est-ce que je peux venir te parler ?

— Euh... oui.

— Ça te dérange de descendre me rejoindre, j'ai pas beaucoup de temps et j'ai peur de ne pas trouver de place de stationnement.

— OK, pas de problème. À tout de suite.

Je descends au rez-de-chaussée, j'attends l'arrivée de la Harley noire. Elle se pointe une dizaine de minutes plus tard et me fait signe de m'asseoir sur le trottoir avec elle. Je m'exécute, craintive. J'ai peur qu'elle me demande comment va ma relation avec Tom et de n'avoir rien à lui dire, seulement des platitudes au sujet de notre détachement certain. Un gruau de bullshit tiède.

— Serais-tu dispo au mois de février ?

— Euh, j'pense que oui.

— J'aimerais que tu fasses partie d'un opéra que je dirigerai au Maroc. C'est une pièce un peu edgy et je pense que tu pourrais apporter beaucoup au projet.

— Qui en fait partie ?

— De Montréal, il y aura toi, moi, Tom et deux musiciens. On travaillera avec des artistes marocains aussi. Donc, est-ce que ça te dit ?

— C'est certain Gab. Qui ça n'intéresserait pas ?

— OK, super. Je suis vraiment contente de te compter parmi nous. On se voit demain à l'entraînement?

— Oui.

— Bonne soirée.

Baisers sur les joues. Baiser sur mes lèvres. Points d'interrogation dans ma tête. Puis, suspension.

Le lendemain, émoustillée par ce que la journée me réserve, je me lève à l'aube et vais jogger à travers la brume opaque d'un automne manifeste. Les rues désertes, où courent à mes côtés les cadavres maigrelets de feuilles arrachées aux arbres par le vent, me dédient leur silence morcelé, leur solitude ramollie. En revenant, je retrouve dans ma boîte de courriels un message de Tom:

Objet: Suis-je à la bonne adresse?

Je ne sais pas par chez toi, mais chez moi, il y a un p'tit vent froid qui passe et je ne l'ai pas vu venir, mais pas du tout!?! Si tu as trop froid, tu me fais signe.

Tom x

Objet: RE: Suis-je à la bonne adresse?

Je le sens aussi, mais es-tu certain que ce vent froid ne provient pas de ta bouche, de ta tête, de ton cœur? L'hypothermie me gagne. Peut-on mourir de ça?

Kira

En me rendant chez Gab, j'ai mal à la tête. La chaleur du métro me donne des vertiges et lorsque je regarde le reflet de mon visage dans la vitre du wagon, je ne vois que ma pâleur, ma dangereuse transparence. J'aimerais pouvoir me dire que je n'ai plus envie de revoir Tom mais ce n'est pas le cas. Depuis qu'il m'a demandé mon adresse courriel, j'ai quadruplé le nombre de fois où je visite ma boîte de réception. Actualiser. Actualiser. Actualiser la page. J'aimerais lui parler mais nos conversations futures seront tachées, cassées par cet accroc, cette maille dans le tricot de notre relation qu'il a laissé en s'amusant avec mes sentiments. L'honnêteté qui caractérisait nos échanges jusqu'à maintenant est remplacée par un tremblement, un émoi qui figent mes cordes vocales. Je suis incapable de lui dire que je l'aime de plus en plus, que ma vie sans lui se mute en une série d'actions éteintes, inexpressives.

Chez Gab, nous amorçons une seconde partie du travail d'improvisation. Nous tentons de nous imprégner des habitudes des autres afin de pouvoir prévoir leurs actions et d'y réagir avec une promptitude alerte. J'ai peine à croire que ma place est parmi eux. Ils sont charismatiques. Pas moi. J'essaie de comprendre ce qui, en moi, refuse de collaborer. J'ai l'impression que mon bonheur ne tient qu'à l'obtention de ces deux ou trois figures coriaces que tous semblent maîtriser avec la plus grande désinvolture.

Mais, j'ai été choisie pour le projet au Maroc, exclusivement, et ce, sans octroyer à Gab des faveurs à caractère sexuel. C'est une réalisation glorieuse.

Objet: RE: RE: Suis-je à la bonne adresse?

J'ose espérer que l'hypothermie dont tu souffres puisse être guérie par ma présence. J'ai encore tant d'amour, de tendresse et d'inconfort à partager avec toi. Je veux atteindre le 7e ciel avec toi. Je rêve de t'amener à l'extase pour ensuite me faire frapper de bonheur... mais... attends! Si, dans ton agonie, tu m'écris ces quelques mots... c'est qu'il n'est pas trop tard! Tiens bon Kira, je... j'arrive! P.-S. À bien y penser, je crois bien avoir oublié une bouteille de whisky...

Je ne l'appelle pas tout de suite, j'attends un peu. Je peux toujours attendre. Mon corps entier me démange, j'ai de l'urticaire dans les veines.

Le lendemain, Gab m'invite à faire un autre stage de danse. Celui-ci est différent du dernier qu'on a fait ensemble. Il est donné par deux membres d'une compagnie de danse qui allie la technique moderne avec des inspirations provenant du breakdance. Cette classe est trop épineuse pour mon niveau. Gab virevolte comme un papillon. Torpeur.

Je regrette d'avoir accepté son invitation. Les exercices interminables ne nous sont démontrés qu'une seule fois. Mon corps perdu tambourine sur celui des autres, qui évoluent sur le plancher de danse comme de graciles patineuses d'eau. Et moi, limace lourdaude dans cet environnement hermétique, je me noie dans ma gaucherie. Nouvelles ecchymoses sur mes genoux et mes coudes. Pas fière. Preuve indiscutable de mon inexpérience.

Après, je vais m'entraîner chez Gab et cette fois, nous sommes seules. Je réussis un des mouvements qui, jusqu'à aujourd'hui, se refusait à moi. Je suis submergée de contentement et c'est avec toute la mièvrerie du monde que j'appelle Tom dès que je mets le pied hors de chez Gab, le visage étoilé de points rouges, vaisseaux sanguins éclatés. Trop de contorsion.

Tom est surpris que je sois sortie de mon état larvaire, content que ses courriels enjôleurs m'aient ramenée à lui.

— Tu peux venir me voir?

— Je check ça et je te rappelle plus tard.

— OK.

Je m'endors tard dans la nuit, dépitée par cet appel qui n'arrive jamais jusqu'à moi. Peut-être y a-t-il un problème de connexion.

Lorsqu'on se revoit, ma méfiance s'annule dans ses bras.

— Je suis désolé de mon inconstance.

— Pourquoi aimes-tu être avec moi, Tom? Qu'est-ce que tu aimes de moi?

— En ta présence, je me retrouve. J'ai l'impression d'avoir quelque chose à accomplir avec toi mais je ne sais pas trop ce que c'est. Je suis tombé en amour la première fois que je t'ai aperçue sur une scène... Tu sais ce que je veux dire. Tu es la première fille, à Montréal, avec qui j'ai une relation continue depuis... J'ai eu quelques amantes lors de mes voyages mais ces relations ne dépassent pas le stade d'aventures.

Sur ces paroles, je me blottis contre sa poitrine, et je contemple son ventre, doux comme celui d'un enfant.

23

Nini s'est envolée à Moscou pour une série de spectacles. El Tornado est dans sa famille à Veracruz et Tom part à Séoul dans peu de temps. Ane et Rasmus ont emménagé dans leur nouvel appartement il y a une semaine. J'adorais aller jouer au parc avec le petit et m'inquiéter lorsqu'il traversait la rue sur son tricycle précaire. J'aimais lorsqu'il venait me déranger dans ma chambre pour piocher sur ma guitare en inventant des mélodies nébuleuses. Parfois, il mettait sa main rembourrée de gras d'enfant sur ma poitrine et je l'esquivais avec gentillesse, de peur de trop le brusquer avec ma pudeur. Pour lui, les seins de sa mère ne sont pas dissociables des miens. Ou peut-être que si. C'est une ébauche d'homme.

Je suis seule dans mon appartement depuis une semaine. Tout me semble stérile. J'ai fait le ménage, ça brille comme si personne n'habitait l'espace, hormis les mites et leurs larves, les fourmis, les poissons d'argent et les cochenilles.

Samedi soir, j'écoute un film insipide à la télévision, vautrée dans le futon. Je caresse le chat qui ronronne sous ma main engourdie par la vibration que produit son moteur interne. Je touche son nez mouillé mais il détourne la tête à chaque fois. Le plaisir que j'ai à le toucher n'est pas réciproque et ça me contrarie. Je continue de violer son museau jusqu'à ce qu'il aille rejoindre le dessous du lit de Nini. Vers 20 h 30, je vais me coucher. Plus rien à faire. Le vent s'introduit entre les fenêtres et je me rappelle que Tom adore ce bruissement. Pour le moment, ça m'empêche de dormir et je décide de prendre un somnifère. Peut-être devrais-je attendre d'être fatiguée avant de planter mon nez dans mes oreillers.

Perdue, groggy, je suis réveillée en pleine nuit par la porte de mon appartement qui se referme en un grincement inquiétant. Je repense aux films d'horreur que je n'aurais jamais dû visionner et je cherche mes genoux afin d'y trouver la carcasse d'un réconfort. Je sens une présence dans l'appartement et mon affolement esquisse déjà des scénarios dans lesquels plusieurs monstres déploient leurs tentacules juteux dans mon salon afin de m'y piéger lorsque je sortirai de ma chambre pour aller au petit coin. Ma vessie semble vouloir s'autodétruire dans les prochaines minutes si je ne remédie pas à la situation. Des pas irréguliers s'amplifient à mesure qu'ils approchent de ma chambre. Je ferme les yeux pour ne pas voir mon assaillant, ni ses traits hideux d'extraterrestre assoiffé de sang humain de première qualité. Quelque chose se glisse dans mon lit, et ma curiosité ou ma naïveté daigne ouvrir une de mes paupières afin de regarder la mort en face. Tom, déçu, me crie en chuchotant :

— Rendors-toi, rendors-toi ! Je suis venu te violer.

Le temps s'assoupit avant que j'assimile les informations mal interprétées par mon cerveau endormi. Il est 6 h 12 du matin et une lueur éclot à l'horizon. Nous célébrons la venue d'une journée encore vierge avec nos corps qui s'emboîtent avec un peu plus de facilité qu'au début de nos rencontres.

Il reste avec moi jusqu'à midi et nous faisons nos adieux pour un mois. Il part pour Séoul demain. Dans une semaine, je serai en Suisse.

***

Le jour de ma fête, je dois aller au consulat suisse afin de récupérer les visas de travail pour mes partenaires et moi. Quelques trajets d'autobus plus tard, je me retrouve sur l'avenue du Docteur Penfield. Dans un local qui embaume le liquide citronné, une dame avec un fort accent germanique me demande les formulaires que je tiens entre les brins de laine de ma mitaine mauve. Je lui remets les quelques feuillets que Ève et No m'ont confiés la dernière fois que je suis allée à Québec et la fonctionnaire les examine en plissant des yeux.

— Se ne zont pas le bons vormulaires. Foilà. Il vaudra les remplir et me donner vos trois votographies.

Elle ne peut pas émettre les documents que je suis venue chercher. Je téléphone à mes partenaires afin qu'elles m'envoient par courrier express les photos dont j'ai besoin pour continuer mes démarches consulaires. Ma journée s'annonce délectable.

En me rendant à la station de métro, je reçois l'appel de l'agente d'artistes qui m'a donné ce contrat en Suisse. Nous réglons quelques détails logistiques puis, elle me souhaite un joyeux anniversaire. Je suis émue, triste. Ma propre mère oubliera à coup sûr de m'appeler, comme elle oubliait de venir me chercher à l'école ou à un entraînement. Comment peut-elle oublier, année après année, les vingt-quatre heures de torture nécessaires à ma naissance ? Peut-être est-ce mieux ainsi.

— As-tu des plans aujourd'hui ?

Non, je n'en ai pas.

— Tu devrais te gâter, t'acheter quelque chose dont tu rêves depuis longtemps.

— Oui, je suis déjà en route pour les magasins. Merci d'avoir appelé. Bonne journée.

— Ça me fait plaisir ma belle Kira, tu le mérites tellement !

Cette idée me touche, mais je me souviens que je n'ai pas d'argent, que je mange du riz blanc depuis deux semaines, avec toutes les variantes d'épices qui me sont disponibles. Bientôt, il n'y en aura plus, ou plutôt, il restera de l'anis et des clous de girofle.

Un sanglot retenu me dénature le visage en face du métro Guy-Concordia pendant qu'une brise glacée fait frissonner mes articulations mal protégées par un manteau bon marché. Autour de moi, les gens essaient de se protéger du froid en rentrant leurs têtes dans leurs épaules. Certains y arrivent. Une goutte de morve descend à l'aveuglette sous mon nez et je la lèche en tentant d'être discrète. L'absence de Nini, de Tom, et même d'El Tornado, me déprime.

En arrivant à la maison, j'écris un message à Tom.

Objet: Bon voyage?

Allo,

J'espère que ton voyage s'est bien passé et que c'était pas trop pénible, mais les espoirs sont minces: jamais un trajet entre Montréal et Séoul en classe économique n'a à ce jour été catégorisé comme étant agréable.

Je pense à toi souvent et je suis toujours bouleversée de retrouver ton odeur sur mes oreillers. C'est ma fête aujourd'hui et chaque fois que quelqu'un m'appelle ou m'écrit pour me souhaiter bonne fête, je pleure. J'ai de la difficulté à identifier si c'est par désespoir ou par bonheur. Ta présence me réconforte et je ressens une profonde accalmie lorsqu'on est ensemble. Fais bien attention à toi, j'exige que tu prennes soin de ton petit corps… C'est un ordre. Car je veux l'utiliser encore, ce corps-là.

Quelques minutes après avoir envoyé mon courriel, je reçois une réponse:

Objet: RE: Bon voyage?

Merci Kira pour ta présence, malgré la distance. J'ai peu de temps pour te répondre mais je me reprendrai plus tard. Oui j'ai fait un bon voyage pénible. Pour ton moral… Je suis désolé de ne pouvoir être là pour te donner un peu de tendresse mais sache que je suis là en pensée. Et pour ta fête je te fais un SUPER MEGA GROS CÂLIN virtuel en attendant de t'en faire un vrai. Bonne fête (ne pleure pas!) et je t'écris bientôt. Des bisous xxx partout… Vraiment partout, partout!

Tom

24

Tom arrive ce soir à Montréal alors que je serai dans l'avion en direction de Zurich. Cruel. Depuis son dernier courriel, je n'ai pas de nouvelles de lui. J'ai peur qu'il m'ait oubliée, qu'il m'ait remisée dans le grenier de sa tête et qu'il me ressorte de là, poussiéreuse, lorsque je reviendrai. Je ne veux pas être une pensée à temps partiel. Est-ce que quelqu'un peut nous manquer sans qu'on ait envie de rester en contact avec cette personne ? Je ne crois pas. Je ne lui manque pas assez.

Je voyage avec deux artistes de planche sautoir qui participent au programme du Cabaret de Bâle, la ville où nous performerons pendant deux semaines. Je les rencontre à la porte d'embarquement de notre vol et nous entrons dans l'avion avant de nous séparer à nouveau. Je ferai le voyage aux côtés d'une Africaine aux problèmes de sinus envahissants.

À notre arrivée à l'aéroport de Zurich, nous prenons le train en direction de Bâle. Pendant un peu plus d'une heure, nous cheminons entre des collines verdoyantes où broutent des centaines de vaches blanches et noires. Typique.

Le cabaret pour lequel nous travaillons se situe à même la gare. Nous trimbalons bagages et accessoires en pestant contre les pavés inégaux qui ralentissent le roulement de nos valises.

Le Cabaret Variété de Bâle est une salle de spectacle utilisée comme restaurant. Le théâtre est surchargé de moulures plaquées or et le velours carmin qui recouvre les murs est saturé d'une poussière ancestrale. Il n'est pas encore l'heure du déjeuner, quelques clients sont attablés, sirotant un expresso, clope au bec. Le producteur du spectacle, Eike, vient nous saluer. Son œil gauche souffre d'une déviation évidente, hésitant entre plusieurs directions à la fois et son visage cireux accuse un mode de vie malsain. Ses pores de peau sont dilatés et semblent remplis d'une substance huileuse provenant de l'extérieur de son corps. Plus tard, nous nous moquerons, avec Éve et No, de ce nom agressif et mou à la fois, de ce patronyme qui génère en nous un irrespect total. Disgracieuse fourberie.

Nos tests d'éclairage et nos répétitions de main à main se font dans la soirée où, soûlées de fatigue après un voyage transatlantique, nous commençons à ne plus répondre des âneries qui sortent de nos bouches écumeuses. La plupart d'entre elles concernent Eike. Les autres sont des jeux de mots avec la langue allemande que je vais taire. Elles sont d'une imbécillité odieuse.

Objet: (no subject)

Bon, bon, bon, n'étais-tu pas supposé m'envoyer des dizaines d'emails adoratifs? J'ai besoin que tu m'écrives... Ça me rassure. Kira xxxx

Tous les matins, je vais courir avec mes partenaires, loin derrière elles. Ma cadence est lente. Ridicule. Nous suivons le Rhin, rivière pittoresque qui sépare la ville en deux parties. Sur l'autre rive, les quelques manèges d'une fête foraine attirent nos regards d'enfants et nous nous promettons, haletantes — moi plus que les autres —, que nous irons faire quelques tours de manèges avant de revenir au Québec.

Dans les rues, une kyrielle d'arômes viennent caresser mes narines: les bretzels géants saupoudrés de sel grossier, le massepain sucré, le pain d'épice, le *magenbröt*, les saucisses allemandes fumées, les marrons chauds, la merde de chien qui tapisse ma chaussure de course naguère blanche.

Au déjeuner de l'hôtel, les cappuccinos que la gentille réceptionniste nous prépare sont délicats et saupoudrés de cacao prenant la forme d'un cœur sur la riche mousse de lait. Je pense à Tom. Pas juste dans ces moments-là.

Nous avons une représentation tous les soirs, ce qui ne constitue pas une charge de travail élevée. Nos journées sont peu remplies. Ma vie aussi. J'aime Bâle mais j'ai hâte de rentrer à la maison. Revoir Tom.

Nous sommes requis au théâtre deux heures avant le début du spectacle et comme nous sommes l'avant-dernier numéro à passer, nous avons beaucoup de temps libre à tuer dans nos loges. Assassins de l'horloge.

Avec Ève, je chante à tue-tête des cantiques de Noël. No roule des yeux.

Elle préfère Tracy Chapman, qu'elle personnifie d'une manière approximative en utilisant son mascara comme microphone.

Objet: RE: (no subject)

Je ne t'oublie pas Kira, pas assez même! Je... te salue, je t'embrasse... partout! Je te désire... trop souvent! ... Je sens une odeur d'Oréo... Je...

L'avant-dernière journée en territoire suisse, mon cou bloque en plein milieu du spectacle. Durant toute la deuxième partie de la routine, je me retiens de pleurer en sentant se crisper les muscles qui entourent mes vertèbres cervicales. Lorsque je reviens dans les loges après notre prestation, un flot de larmes brûlantes se déverse sur mes joues fardées et je m'écroule sur le sol en tenant ma tête entre mes mains tremblantes. C'est dramatique, un torticolis.

La nuit, j'évite de bouger car le moindre frétillement de mes muscles me fait exploser de souffrance. Je reste dans mon lit une grande partie de la journée suivante en râlant, aveuglée par ce lancinement compact, trop désolée pour moi-même pour être crédible. Je voudrais que Tom soit là, qu'il me prenne dans ses bras et qu'il me couvre de baisers mouillés, qu'il guérisse l'immobilité de mon cou par sa seule présence. No, pour m'aider, m'achète une bouillotte en forme d'animal non identifiable. Il a des oreilles de chat, un nez de chien, un corps d'opossum.

J'engourdis mon mal le temps de notre dernière routine de six minutes. Pas d'élégance, pas de fluidité. J'omets les ronds de tête de notre chorégraphie et je souris, fourbe, espérant camoufler l'affolement qui défile dans mes yeux.

Tout de suite après la finale, la dernière, j'emballe mes effets personnels et je retourne à l'hôtel en tramway, épuisée par l'effort, surexcitée parce que demain, je serai à Montréal. Demain, je reverrai Nini, mon amie à distance depuis un mois. Demain, je serai près de Tom.

25

Je suis arrivée à Montréal depuis quelques jours mais je suis restée alitée la majeure partie du temps. Mon cou n'est pas guéri. Mon état semble définitif. Je ne peux plus tourner la tête à gauche ni la pencher vers l'arrière. Je ne peux pas m'entraîner non plus. Je ne fais rien.

Tom n'a pas appelé. Ni lui ni moi n'avons le courage de le faire. Lors d'une soirée où j'ai préféré rester à la maison à cause d'une surdose de douleur, Tom a demandé à Nini où j'étais passée. À cette annonce, mon cœur s'est alors retourné dans ma poitrine et je l'ai senti battre pendant des heures: Tom... Tom... Tom.

Temps libre. Penser. Songer à ce que je pourrais créer de nouveau au Maroc en février. J'aimerais trouver une idée percutante qui me fera gagner le respect de Tom et Gab. J'ai la tête vide. Vide de lui, vide de moi-même, vide de vie. Je regarde, abrutie, le mobile que ma mère m'a confectionné l'année dernière. Elle a aplati des cuillères en métal et elle leur a donné la forme de poissons. Ils s'entrechoquent en un gazouillis ininterrompu, percutant la vitre de leurs petits corps métalliques.

Je m'endors, droguée par les relaxants musculaires que je gobe avec aisance depuis une semaine pour faire fondre les poignards de glace qui sont plantés dans mon cou.

Silence, vacuité. Vide opaque, dense. Sur mes bras et mes jambes sont attachés les poissons du mobile de ma mère. J'entends leurs cliquetis. Je veux les faire taire mais chaque mouvement renforce leurs commérages assourdissants. J'approche mes mains de mes oreilles pour qu'elles ne laissent plus pénétrer aucun son. C'est inutile, le vacarme provient de l'intérieur. Je hurle sans bruit, j'essaie de me réveiller mais je suis entourée de néant. J'émerge de mon cauchemar, perlée de sueur, extatique. Je tiens mon idée…

Le mobile de ma mère gît sur le sol, écartelé.

Samedi soir, il y a une fête pour la fin de CINARS, un festival du spectacle promotionnel où toutes les compagnies de danse, théâtre et cirque présentent un extrait de leur création dans le but de se faire acheter par les producteurs qui y assistent, parfois contre leur gré.

Nini et Mel y font leur duo aérien et elles m'ont invitée à venir les voir. Tout le gratin de la communauté circassienne est présent. En allant chercher un verre de vin à un des petits kiosques installés dans la grande salle du Cirque Éloize, je tombe sur Gab. Fébrile, elle me prend les mains et les masse avec vigueur en me parlant de danse. Elle est inspirée par un des spectacles qu'elle a vus lors de CINARS. J'essaie, tout en lui donnant l'impression que je suis captivée par son discours, de trouver Tom au milieu de cette cohue.

— Gab, est-ce que je peux ravoir mes mains? C'est que j'en ai encore besoin un petit moment. Faut que j'aille aux toilettes.

Je descends aux vestiaires et entreprends de dénicher ma sacoche enfouie sous une montagne de manteaux laineux. Je trouve le petit sac en plastique contenant les champignons magiques qu'un de mes amis m'a donnés en cadeau lors de notre soirée érotique. C'était un beau cadeau d'hôtesse. Je tente sans succès d'évaluer la bonne quantité pour une personne.

Tom est accosté au bar. Il tient dans sa main une canne en bois. Je me glisse derrière lui et l'enlace en lui masquant les yeux. Il se retourne, me gratifie d'un sourire déphasé.

— Kira, t'as l'air bien. J'suis content de te voir.

Il porte un plâtre au pied gauche.

— Comment tu t'es fait ça?

— Bof, c'est mieux que tu l'saches pas.

Je n'ai rien à lui dire, j'aurais besoin qu'on soit seuls. J'avais imaginé quelque chose de plus intime, de plus connecté. Jambes molles. Picotement étrange dans mon ventre. Peut-être ai-je forcé un peu la dose de champignons. Tom est aussi gelé que moi. On a du mal à se rejoindre et j'ai peur de l'avoir perdu. Où est passé ce bien-être que je ressentais en sa présence? En bafouillant de plates excuses, je m'éloigne de lui pour aller parler à Mel, que je vois passer avec un verre de punch non alcoolisé. Nous discutons mais je suis incapable de suivre le flot de notre conversation. Je suis perdue dans un trop-plein de toxines. Ma tête est ailleurs, dans mon lit, avec Tom. Je ne peux pas la récupérer, elle est trop loin.

L'homme au pied cassé s'évertue à danser comme un indiscipliné et je le vois grimacer de douleur. Pitoyable. Je ne vois pas comment j'ai pu le trouver attirant. Il ne réussit qu'à générer en moi répulsion et effroi. On dirait que ses rides se sont creusées. Je roule des yeux en regardant Mel, qui semble ne pas comprendre mon inconfort face à Tom. Ses yeux bleus me scrutent. J'ai envie de lui en parler. Je n'en ai pas la force. Elle s'éloigne. Je vois la foule se refermer sur elle.

Mes perceptions sont altérées par la drogue et je décide de laisser la soirée évoluer. Elle me ramènera peut-être le Tom que j'ai commencé à aimer.

Je déambule avec indolence dans la foule. Une aura floue et diffuse se dessine autour des lumières, des gens. Lorsque j'essaie d'aller parler à Nini, je la retrouve en larmes dans les bras d'une fille que je ne connais pas et je rebrousse chemin, outrée qu'elle n'ait pas choisi mon épaule pour déverser les perles tragiques de ses yeux, soulageant sa peine de cœur impliquant un autre salaud. Je me fais tirer par le bras et je me retrouve à danser avec Gab, pétée. Exquise, je m'élance vers l'infini au contact de son corps gracieux qui me projette dans les airs et me rattrape juste avant que je touche le sol. Après un moment qui me semble éternel, elle s'arrête et me fait part de ses commentaires et réflexions sur l'enchaînement qu'on vient de faire. J'en ai assez de la voir se comporter en professeure acharnée avec moi. Je suis hors d'état de partager son zèle, trop gelée pour analyser les pas et les mouvements que nous avons exécutés.

Déguerpir, m'enfuir, être en position verticale. Ne plus sentir ce tourbillon qui me fait dérailler. Fermer mes yeux. Me réveiller. Me dire que ce n'est qu'un cauchemar de plus.

Je me dirige vers Tom. Soûl, givré, malade.

— J'aimerais que tu rentres avec moi, je ne me sens pas bien.

Il opine, surpris, ce qui me fait sourciller. Je vais chercher mes effets personnels au sous-sol avant de revenir vers lui. Il boite, attaché à ma main. À travers ma vision faussée, je vois la ville comme une colossale fresque de Lite-Brite. Bad trip. Nous arrivons sur le trottoir et un taxi s'arrête devant nous. J'invite Tom à y entrer.

— Euh... j'ai pas mon manteau, j'peux pas partir sans ça.

Je croyais qu'il avait compris qu'on partait ensemble.

— J'viendrai te rejoindre plus tard.

J'ai de forts doutes à ce sujet. Je prends place sur la banquette arrière de la voiture et il se penche vers moi pour m'embrasser avec sa langue pâteuse. Je le repousse, dégoûtée :

— Ah, arrête Tom, dégage !

26

Je ne pense jamais à Tom. Je ne regrette pas de ne plus le voir. Avec notre groupe de création, nos entraînements continuent en se confondant les uns avec les autres. Je ne sais plus faire la différence entre les jours qui se succèdent.

Un matin de congé, à la fin du mois de novembre, Gab m'invite à m'entraîner chez elle, seule. Elle me demande si je voudrais l'aider à installer des praticables sur le plancher de son appartement. Elle veut avoir une scène dans son salon. Je suis enthousiaste à la perspective d'aider Gab dans ce genre de tâche. Elle me transmet sans le savoir, avec sa minutie et son perfectionnisme acérés, d'innombrables outils qui me paraissent d'une prodigieuse pertinence. Lorsqu'elle me confère une besogne, je suis angoissée de ne pas l'exécuter parfaitement. Je sens alors son souffle dans mes cheveux bruns et mon cœur accélère ses battements tourmentés. Les choses, chez elle, doivent être faites à sa manière et je me plie à ses exigences exhaustives, recommençant le tout lorsqu'elle considère que le travail a été bâclé. Pour des raisons obscures, je me retrouve souvent à faire le ménage chez elle. Je n'aurais jamais imaginé me faire enseigner des techniques d'entretien ménager aussi précises.

Après l'entraînement, nous allons chercher le plancher que nous prête une compagnie de danse. La scène noire, détachée en plusieurs praticables, a une grandeur de 20 × 24 pieds et est surélevée de quelques pouces.

Le jeans que Gab m'a prêté pour la tâche descend sous l'élastique de ma petite culotte en dentelle.

— T'es pas mal sexy!

J'accueille ce commentaire, le premier aujourd'hui qui ne soit pas d'ordre utilitaire, avec une fausse modestie. Il est tard. Gab me demande si je veux rester et j'acquiesce, comme si cela allait de soi, comme si je l'avais senti venir dès le début de la journée. L'acte sexuel se sent de loin.

L'écume grisâtre de notre journée se dilue dans le bain. Je ne sais pas pourquoi je m'y retrouve. Absence momentanée.

— Vois-tu quelqu'un en ce moment?

Je repense à Tom.

— Non.

Je ne suis pas convaincue de mon affirmation. Nous noyons ensemble notre isolement, prenant de l'autre ce qui est utilisable, rejetant le reste avec l'eau du bain. Lorsque je l'attends, nue, perchée sur la mezzanine, et qu'elle vient m'enlacer avec son corps caniculaire, j'exulte dans ses bras, fondant comme le beurre sur un pain fumant. La mélancolie, ça se tue à coups de bassin et ça se dilue dans la sueur d'une étreinte factice.

Chez moi le lendemain. Nini m'attend, curieuse de savoir où j'ai passé la nuit. J'ai l'habitude de rentrer dormir à la maison et ce détail lui a semblé important. Je lui raconte ce qui s'est passé et tout ce qu'elle me demande, c'est:

— Et, c'était bien?

Oui Nini, c'était très bien.

Gab me rappelle le soir même, gelée. Elle secoue mon sommeil avec ses désirs de me raconter sa soirée au théâtre. Je l'écoute à moitié. Mes «*mmm*» distants ne parviennent pas à écourter sa critique de la pièce qu'elle vient de voir, quelque chose à caractère philosophique. Aussi accaparant que son appel puisse me sembler, j'apprécie le fait qu'elle me contacte à une heure du matin pour partager avec moi une parcelle de sa vie. Je me sens importante. Elle me souhaite une bonne nuit et raccroche. Sa voix continue de flotter longtemps dans le délire de mes rêves.

***

Gab roule un joint, soucieuse, appliquée. J'ignore si elle est davantage concentrée sur le film ou sur son petit burrito d'herbe séchée. Ça m'irrite de la voir s'occuper aussi longtemps d'un objet illicite plutôt que de me cajoler. C'est moi l'objet dans cette histoire.

Quarante minutes plus tard, elle soulève son œuvre à la hauteur de ses yeux et l'examine avec toute la mysticité que cela implique. Je songe à Tom et à sa propre manière de se droguer. Brute, moins cérémonieuse. Avant que celui-ci me dise qu'il fumait avant chacune de nos rencontres pour se donner du courage, je n'aurais jamais pu le soupçonner. Gab devient exaltée, créative, drôle. Elle qui n'a à jeun aucun humour devient mon meilleur public. Gab est cérébrale. Tom est intuitif. Je suis un peu confuse…

Après le film, nous dérivons sur le nouveau plancher, notre plancher, et nous commençons à élaborer des idées pour la création de l'opéra au Maroc. Elle me laisse seule un moment et revient avec un pot contenant des craies multicolores. Elle prend un bâton rose dans sa main et écrit sur le plancher noir comme sur un tableau scolaire. Toutes les trouvailles, tous les échantillons d'idées se retrouvent couchés sur le sol. Éphémères inspirations pastel.

Nous contemplons notre œuvre du haut de la mezzanine avant de nous lover dans une étreinte presque fraternelle.

27

Gab m'a invitée avec Nini à voir un spectacle de Noël expérimental dans lequel elle joue un ange déchu. On a donné à Tom le rôle d'un renne hyperactif. Il évolue difficilement sur la scène en raison de son pied cassé. Je me demande même pourquoi il s'obstine à vouloir performer dans un état aussi lamentable. J'ai pitié de lui. Je voudrais qu'il se soigne, au lieu d'empirer son état.

Après le spectacle, les artistes s'attardent sur la scène pour discuter avec les gens du public qui le désirent. Je vais remercier Gab pour les billets qu'elle m'a offerts. Je suis happée par quelqu'un au milieu de mon parcours. Me retournant, je découvre Tom qui, la mine austère, me sourit sous son costume en poil ras. Il me prend dans ses bras suintants et m'embrasse sur le coin de la lèvre. Un frisson inattendu culbute ma peau pendant que je médite sur les raisons de cette réaction. C'est la première fois que je le revois depuis la fête où je l'ai repoussé.

— Qu'est-ce que tu fais ces temps-ci?

— Je fais des rénovations. Je déprime. Je suis chez moi et je ne fais rien. Je pense à toi, en espérant que tu me reviennes.

Je ne sais pas quoi dire. Pourquoi, s'il pense autant à moi, ne m'appelle-t-il pas? Qu'est-ce qui se loge entre ces deux éléments, entre le fait de se morfondre à propos de moi et le fait de ne pas m'appeler?

Je lui parle de la création au Maroc et je lui dis que j'aimerais bien créer un numéro avec lui. Il opine, distant. Je l'ai blessé en le repoussant. Gab vient faire exploser ses paroles entre nous. L'impact nous sépare un peu.

— OK la gang, il faut débarrasser le théâtre. Les tech veulent faire le ménage.

Tom nous invite tous à le suivre chez lui. Là-bas, nous buvons quelques bières et jouons à nous tirer des boules de papier devant un programme télévisé moche. Ce n'est pas une soirée des plus intellectuelles. J'ai de la misère à ne pas analyser les actions de Tom, à ne pas le scruter lorsqu'il parle à une des gamines suédoises qui squattent la soirée; à réfréner mon désir de le réconforter, de le serrer contre ma poitrine qui n'attend que cela. Gab est fatiguée.

— As-tu envie de partir?

Non.

— OK.

J'embrasse Tom et je lui souhaite bonne nuit.

— Comment retournes-tu chez toi ? Gab va te reconduire ?

— Oui, c'est ça.

J'ignore s'il sait que j'ai recommencé à coucher avec Gab et s'il veut me piéger en me demandant cela, mais je n'ai pas la force de le lui dire. J'ai la lâcheté de lui mentir, pour ne pas le blesser, pour ne pas me sentir moche. C'est déjà fait. Il n'aurait que quelques paroles à prononcer — « Kira, tu me manques » — et je retomberais pour lui. Je m'en rends compte à l'instant.

Au cours de la semaine suivante, je me réveille un matin avec un torticolis encore plus intense que le dernier. Je dois m'entraîner avec les autres artistes. Je fais acte de présence, emmitouflée dans un foulard extra large qui embaume le Tiger Balm.

Assise dans un coin du loft illuminé par un soleil d'une blancheur hivernale, je regarde leurs prouesses. Ma tête tordue par la douleur scrute le sol où leurs mains et leurs pieds déambulent sous la forme d'un ballet édulcoré. J'essaie de leur faire part de mes commentaires mais je vois bien que tous, à l'exception de Gab, se foutent de mon opinion d'éclopée.

Après l'entraînement, Gab me sert un café pendant que je cherche dans le répertoire téléphonique le numéro d'un médecin sportif.

***

Le lendemain matin, lorsque l'alarme sonne pour une énième fois après une série de snooze, je me résous à me lever. Des milliers de décharges électriques me poignardent la nuque. Une fois debout, je me rends compte que la morsure a quintuplé durant la nuit. Je ne verrai pas ce médecin en vain. Je prends un bain, seule. Gab lambine au creux de son nuage duveteux.

Dans l'eau, j'ai l'impression d'être un bloc de toffee croustillant prêt à s'égrener au moindre effleurement. La chaleur et la moiteur de l'eau parviennent à détendre mes muscles crispés après quelques minutes. En sortant de la baignoire, je sonde mon reflet dans la glace et, moyennement satisfaite de mon apparence du jour, je m'habille en vitesse pour ne pas voir ma nudité éparpillée.

La salle d'attente de la clinique m'effraie, avec ses chaises grises aux accoudoirs de métal et ses dépliants sur la toxicomanie et le dépistage du sida. Les murs sont mouchetés de couleurs suspectes des années 80, appliquées à l'éponge. Dehors, une neige fluette et étincelante a commencé à tomber.

On m'appelle après quatre heures d'attente. J'ai eu le temps de feuilleter tous les magazines de la clinique, ainsi que tous les feuillets d'information sur les différentes maladies vénériennes. J'ai composé un poème en pensant à Tom. La mélancolie me joue des courts-métrages idylliques en boucle, avec des ralentis bien placés.

Il y a cet épisode où nous nous embrassions sur la table du salon au son d'une musique de Tom Waits, « Alice ». Nos bouches communiquaient avec une facilité déconcertante, presque angoissante. Nos salives se mélangeaient, s'imprégnaient l'une de l'autre. Rien ne pouvait séparer nos bouches cousues par ce fil limpide.

Avec Gab, c'est différent. Nous nous accommodons bien. C'est pratique. J'ai peur de stagner, à force de me complaire dans la facilité de cette relation. Nous savons toutes les deux que nous méritons mieux mais à force d'habitude, il se peut que nous soyons tentées d'éterniser ses bribes de jouissance détachée.

Fondre au creux d'un silence
Dans un soupir qui me racle la gorge.
Boire sur ta bouche la rosée de doute,
qui danse en se moquant de nos souvenirs.
M'appuyer sur ton armure,
Et diluer la brume de ton murmure opaque,
avide d'une vulnérabilité diaphane.
Retenir mes yeux qui veulent s'envoler.
À grands coups de battements de cils.
Les laisser choir,
sous une pluie douceâtre de bonheur puéril.

Un médecin me tend la main.

— Kira ?

Regard qui pointe ma poitrine mais qui voudrait être capable de l'éviter, poignée de main spongieuse, élocution raboteuse. Les intonations de sa voix ne sont pas déposées aux bons endroits dans son discours. Jeune homme roux, fragile, rougeoyant. Les taches brunes de son visage sont trop rapprochées. Plaques de rousseur. Il m'invite à entrer dans son bureau, avant de me demander la raison de ma visite. Je lui parle de mon problème de torticolis à répétition.

Pendant quelques minutes, il manipule mes différentes vertèbres en me demandant si je ressens de la douleur, un pincement. La morsure est constante.

— Il serait préférable de traiter votre inflammation avant de faire des manipulations.

Il me prescrit un cocktail de drogues licites.

Chez moi, vers 17h, j'ingurgite les doses prescrites et vingt minutes plus tard, je rampe jusqu'à mon lit. Engourdie, libérée de ma douleur. Merci docteur.

Les jours suivants sont nébuleux. J'ai l'impression de faire du ski de fond dans de la mélasse. Aux heures prescrites, je gobe mes médicaments. Seule chose inscrite à mon horaire. Entre mes repas de pilules, je vomis. Intolérance à la codéine. Je dors, je vomis et je bave, je jouis dans mon sommeil. Mon cou se porte de mieux en mieux.

***

Samedi matin, il y a la première réunion pour notre projet au Maroc. Je rencontre les deux autres collaborateurs de la création. Il y a une chanteuse ainsi qu'un adepte de danse percussive. La chanteuse nous demande de lui parler des styles musicaux qui nous inspirent. Gab parle de Múm, Tom vante les vertus de Frank Zappa. J'évoque mon faible pour les musiques douces et sensuelles. Tom dit, en chuchotant :

— Comme toi…

Sa voix a un goût de gâteau triple chocolat. Mon cœur tressaute. Il est assis dans un des fauteuils design de Gab, les jambes écartées. Je vais m'imbriquer entre ses cuisses en catimini. Il met ses mains sur ma nuque et lui prodigue de fragiles caresses du bout des doigts. Gab semble trop accaparée par son discours pour regarder dans notre direction. Rien ne m'empêche de me faire masser par Tom.

Après la réunion, j'enfile mon manteau dans le vestibule.

— Est-ce que tu serais libre cette semaine pour qu'on se voie ? J'ai un cadeau pour toi.

— Je m'en vais à Québec aujourd'hui pour une série de show de Noël. Je reviens dans dix jours.

— Je vais t'attendre.

Attends-moi Tom car je n'ai plus la force de le faire.

28

De retour à Montréal, je replonge dans les entraînements avec notre groupe de recherche. Je sens que j'ai quelque chose à rattraper. Gab semble s'accommoder de notre union détachée. Je passe mes journées dans son appartement et le soir, j'arrive chez moi exténuée mais vivante. Parfois, je reste avec elle. Je fais de l'entretien charnel.

Mercredi soir, nous avons notre première séance musicale avec les collaborateurs du projet. La chanteuse, Sanna, est une femme dans la trentaine, rachitique, hyperactive. L'adepte de danse percussive est un grand noir au crâne glabre. Ses globes oculaires sont bombés et luisants comme des boules de billard. Le cours commence avec quelques exercices de chant dirigés par Sanna. Je m'y prête avec scepticisme. Je tressaille en entendant ma propre voix. Antony nous dicte certaines consignes: claquer des mains sur tel ou tel compte de musique, taper sur nos cuisses, sur notre torse. Au bout d'une heure trente de dur labeur et de concentration, je me rends compte que ce n'est pas ce à quoi je m'attendais. Ça me plaît. Peut-être est-ce dû aux encouragements de Tom.

— Man, t'es un génie toi! T'apprends ben trop vite.

La flatterie est une technique aux pouvoirs infinis.

Je me rends à la salle de bain après la session. En laissant tomber mes pantalons sur mes chevilles, je constate que je me suis frappée trop fort sur les cuisses. J'ai des ecchymoses titanesques sur les quadriceps. Elles s'étendent du haut de mes genoux jusqu'à mes aines, dans toute leur splendeur. Je passe mes doigts dessus. Sursaut. Ma peau, plus sensible. Je pense à Tom. Je m'imagine nue devant lui, il verse sur mes cuisses des centaines de baisés onctueux en me caressant de sa barbe négligée qui m'érafle la peau. Ma main sur mon sexe. Frottement. Je jouis en regardant mes bleus géants.

Je pense à Tom plutôt qu'à Gab. Culpabilité.

Dans le métro qui me ramène à la maison, c'est mouillé dans ma petite culotte. Sanna et moi parlons. Elle habite juste un peu plus loin que moi sur la ligne orange. Elle s'intéresse à ce que je suis et je sens que je vais l'adorer. J'aimerais que ce principe s'applique aussi à Tom. Je t'aime donc tu m'aimes.

Le lendemain, Gab et moi allons voir un spectacle de clowns à la Tohu. Gab feuillette le programme de la soirée en m'ignorant. J'aperçois Tom qui est accompagné par sa fille. Il capte mon regard et me sourit.

— On se parle après le show?

J'opine et je me cache derrière mon programme humecté de sueur. Faire semblant de lire est une activité de choix afin d'avoir l'air intelligente et non troublée.

Après la représentation, Gab et moi allons prendre une bière avec les artistes du spectacle. Tom se joint à nous et commence à me parler de ses rénovations pendant que je me dis qu'il serait temps que je rénove mon cœur, il est criblé de trous de différentes grosseurs, selon les peines accumulées. Une passoire oubliée.

— Où est ta fille?

— Elle est partie avec un gars du spectacle. J'ai pas de contrôle sur elle. Elle m'a envoyé chier quand je lui ai dit de faire attention. J'espère juste qu'elle sera chanceuse et qu'elle apprendra de ses bêtises.

J'espère qu'il en sera de même pour moi.

— Veux-tu déjeuner avec moi demain matin?

Tom me prend la main en attendant ma réponse. Il laisse ses doigts zigzaguer jusqu'à mes poignets frissonnants, un peu trop longtemps.

Gab et moi partons quelques instants plus tard. Elle souhaite me montrer la vidéo du travail de l'assistant chorégraphe avec lequel nous allons collaborer au Maroc. Je la soupçonne de vouloir m'attirer chez elle à l'aide d'artifices.

Ce soir, Gab et moi ne baisons pas. Nous sombrons ensemble dans un sommeil stérile.

Au matin, je retourne chez moi accompagnée d'un vague sentiment de bassesse morale.

En attendant l'appel de Tom, je décore une des plantes géantes qui loge dans mon salon, à défaut d'avoir un arbre de Noël. J'enroule autour de ses feuilles un câble de lumières multicolores. Je complète la décoration de ma plante exotique avec des miniboules de Noël en essayant de ne pas déranger les cochenilles qui roupillent sous les feuilles.

Cette année, ma mère m'a demandé de recevoir la famille pour le réveillon. Je frémis d'avance à l'idée de jouer à l'hôtesse pour la soirée. Un brin de ménage serait nécessaire. Notre appartement reprend ses allures de piquerie. Nini est partie en Grèce, un contrat duquel j'ai été écartée en raison d'une réduction du budget pour les artistes. El Tornado a recommencé à souiller tout ce qu'il touche en abandonnant son désordre afin d'assister à je ne sais quelle fête où il finit avec un homme différent à chaque fois. Je me souviens d'un mec appelé Greg Allaire, nom que nous avons changé pour « Graine à l'air ». Le lendemain de cette aventure, j'ai retrouvé les vêtements de Greg et de El Tornado éparpillés un peu partout autour du bain, dans lequel gisait encore une eau froide, poisseuse. Au fond de la cuvette de toilette, une collection de condoms souillés saluait nos derrières et je me suis demandé pourquoi il avait choisi d'en disposer là plutôt que dans sa propre corbeille de chambre.

Tom cogne à la porte. Je vais lui ouvrir en espérant qu'il ne soit pas trop dérouté par les cantiques de Noël qui baignent l'appartement d'une ambiance veloutée. Il me tend un petit sac en tissu, je l'invite à entrer et je m'installe à la table pour déballer son cadeau. Thé vert.

— Je l'ai acheté à Séoul il y a deux mois.

Juste avant que je ne le vire de ma vie. Pourquoi m'offre-t-il un cadeau? En vertu de notre amitié boiteuse, de notre relation éclopée?

Le froid de décembre nous gèle les poils de nez pendant qu'on se rend à un café à quelques rues de chez moi, sur Fairmount. Assise à une table en bois blanchi, je laisse mon regard dériver sur un tableau d'annonces de services divers offrant des cours de guitare, des soins de massage suspects et des électroménagers en «bon état». Tom commande un bagel avec différents fromages et un bol de café au lait. Je ne prends qu'un café. Je ne sais pas quoi lui dire. Lui non plus. Dehors, il se met à neiger, les flocons descendent sur terre sous la forme de grosses plumes humides. Je parle, je n'ai rien à perdre. Je n'ai rien, de toute façon...

— Est-ce que tu t'es demandé pourquoi je ne t'ai pas rappelé après le party de CINARS?

— Oui, un peu, mais je pense que j'ai compris. Je ne t'ai pas rappelée non plus.

— Je n'ai jamais eu envie d'être une maîtresse. Personne ne se contente de ce statut. Ce n'est pas mon ambition de vie, de t'attendre, d'être insatisfaite, de ne pas savoir si tu vois d'autres filles. Avec toi, je serais toujours ce que je ne veux pas être.

— Je ne veux pas de maîtresse. Je ne sais pas ce que je veux.

Je ne sais pas quoi répondre à cela. Je ne sais pas pourquoi il me dit cela, mais je n'ai pas la force de lui demander. Ses lèvres dérapent sur les miennes comme une vieille dame sur une plaque de glace. Je lui rends son baiser, incertaine. Nos mentons sont réchauffés par les cafés fumants qui trônent sur la table. Son cellulaire sonne et il répond. Je crois comprendre qu'il est demandé quelque part et que c'est une urgence.

— Je dois y aller, mais je te raccompagne chez toi avant.

Dans les rues frigorifiées, une lourde fumée scintillante tournoie au-dessus des bouches d'égout. Nos propres lèvres laissent passer la même fumée, qui se cristallise sur nos cils en billes scintillantes. Tom me prend la main et nous marchons paisiblement, en apparence. Dans ma tête, c'est le chaos. Pourquoi est-ce que je me laisse influencer par les paroles mielleuses de Tom, par ses vérités alambiquées? Émue par ses yeux humides et son regard admiratif, je l'embrasse avec hardiesse.

Du coin de l'œil, j'aperçois Mel, la partenaire de Nini, qui marche dans notre direction. Lorsqu'elle s'approche du couple suspect que Tom et moi formons, je veux embrasser mon amie sur les joues, mais trop nerveuse, je lui donne un coup de mâchoire. Elle s'écarte vivement en criant de douleur et je me confonds en excuses. La dernière fois que je l'ai vue, je lui avais parlé de ma relation avec Gab et maintenant, je suis au bras de Tom en pleine démonstration publique de baisers langoureux.

— Mesdemoiselles, je dois vous quitter. Il faut que je sois dans l'ouest de la ville dans trente secondes.

— Bye Tom.

Mel et moi décidons d'aller voir un film au cinéma.

— Kira, c'est quoi qui s'passe avec Gab et Tom?

— Un beau mélange...

— OK... Si Gab et Tom te proposent tous les deux de sortir avec eux, qui choisis-tu?

— Ça n'arrivera pas... Je ne sais pas. Avec Gab, je me sens bien et j'adore notre complicité mais j'ai l'impression de perdre mon temps. Et Tom? Quelque chose de fort m'attire à lui et j'ai de la difficulté à identifier ce que c'est. On dirait que je l'apprécie parce qu'il me vénère. C'est narcissique. J'aime passer du temps avec lui car il me fait sentir géniale et en même temps, je pense qu'il se sent exactement comme moi. J'aime lorsqu'il me touche, mais je me sens un peu étrange. Ça me fait peur.

Nous marchons en silence, Mel rumine une réponse qu'elle gardera en partie pour elle-même. Ça m'est égal, personne ne peut m'aider à savoir ce que je veux.

— Pose-toi les bonnes questions et tu verras.

— Ouais, je vais essayer. Merci.

Les bonnes questions sont difficiles à trouver.

29

L'APRÈS-MIDI DU 24 DÉCEMBRE, ma mère débarque chez moi avec sa copine et la fille de celle-ci, toujours accoutrée de son minois boudeur et gêné à la fois. Elles portent des dizaines de sacs de plastique contenant le nécessaire pour la soirée. J'aide ma mère à faire des mousses au chocolat et des salades. Elle me donne des petits sacs de fausses pierres précieuses aux couleurs de Noël et elle me demande de les éparpiller sur la table. Ça me donne envie de la faire empailler lorsqu'elle décédera.

J'aurais envie d'appeler Tom et de l'inviter à notre réveillon. Mon frère est toujours affublé d'un homme, rarement le même, mais on ne le croit pas incapable de se faire un copain. Je ne trouve pas le courage d'appeler Tom, ma témérité doit être en train de réveillonner quelque part au fond de ma tête.

Vers 18h, les préparatifs sont terminés. Ma mère est resplendissante. Elle a délaissé temporairement ses djellabas pour un veston noir classique et elle s'est maquillée avec de la poudre luminescente, qu'elle a étalée sur ses paupières fripées. Elle a badigeonné ses lèvres joufflues avec un gel qui accentue l'effet pulpeux de sa bouche framboisée. J'ai hérité de ses lèvres pornographiques, gonflées, gorgées de promesses.

Nous attendons les convives en silence, en regardant le soleil se consumer loin derrière les montagnes qui semblent frileuses sous leur manteau de laine floconneuse.

Les invités commencent à arriver. On me donne des cadeaux d'hôtesse et je suis stupéfaite devant ces attentions inutiles. Mon grand-père conservateur s'extasie devant l'aspect inusité de mon loft. L'ami du copain d'une de mes tantes, un homme irritant qui squatte la plupart de nos fêtes de famille, crache de la trempette dans l'air en mettant à jour mon célibat récurrent. Je ne peux m'empêcher de voir dans cette attaque un soupçon de banalité. Faut-il dénoncer publiquement tout ce qui nous semble bizarre, comme on le fait pour les flatulences? Il s'approche de moi et son haleine imprégnée d'alcool le suit comme la peste.

— Pourtant, tu as grandi, tu es une femme séduisante. Qu'est-ce qui se passe?

— En fait, j'hésite entre un homme et une femme. J'attends de voir qui baise le mieux.

Il s'étouffe avec son morceau de radis qu'il recrache en partie dans mon décolleté. Il choisit une autre victime, le chat de l'appartement. Il le caresse comme si c'était un cheval. Le chat s'écrase au sol à chaque fois que les paluches ivres lui tombent sur le dos. La peau autour de ses orbites s'étire avec une envergure surprenante. Pauvre chat.

Le visage de ma mère adopte la couleur du vin bulgare qu'elle sirote. Elle sourit mielleusement à tout le monde et je la soupçonne de penser déjà à ses cocktails trop sucrés et crémeux, classiques de Noël, qui la rendent contemplative.

En écoutant les paroles chaudes de Frank Sinatra, je repense à la soirée précédente. Gab m'a invitée à venir voir son spectacle. Durant l'après-midi, nous avions un entraînement avec Sanna et Antony. Après, Tom m'a kidnappée pour m'emmener chez lui. Durant les deux heures où j'ai flâné avec lui, il a essayé de m'embrasser au nom de prétextes qui m'ont semblé nébuleux. Je lui servais des baisers distants, incertains.

Après le spectacle, lui et Gab se sont surpassés chacun de leur côté dans leurs tactiques pour me séduire et pour s'assurer que je passe la nuit avec eux. Incapable d'arrêter mon choix sur l'un d'eux, je suis partie seule, la tête haute, surtout pour camoufler mon double menton visible lorsque je n'y porte pas attention.

Lorsque vient le temps de distribuer les cadeaux qui s'étendent sous mon arbre de Noël improvisé, on me prie de choisir le premier présent puisque je suis l'hôtesse de la soirée. Ce prétendu honneur cache un supplice intolérable : la tache de party a décidé d'incarner le père Noël et m'invite à m'asseoir sur ses genoux noueux, afin de m'y faire cabrioler.

— C'est hors de question, je suis ben trop vieille pour ça.

La famille me met de la pression pour que j'obtempère. Je m'exécute. Le contact froid de son pantalon en rayonne sur mes cuisses nues me donne la chair de poule. Après une seconde de désagrément ultime, je me relève, considérant que cette facétie a assez duré et qu'il y a des limites à se sentir victime d'agressions sexuelles endossées par le reste de sa famille.

Ma mère me remet un cadeau qui semble avoir été enveloppé non pas par des mains, mais par des moignons. J'ouvre avec délicatesse le papier d'emballage qu'elle recycle d'année en année sans en prendre soin. Sa collection de papier constitue un amalgame de boules chiffonnées et plus ou moins au goût du jour qui se tiennent, telles de petites bêtes apeurées, dans le fond de sa garde-robe, à côté de ses mocassins en poil de chèvre des montagnes. Lorsque j'aperçois son cadeau, je sens ma gorge se contracter. C'est un petit personnage en vitrail jaune et ambré, un hybride entre un ours et un elfe. Ma mère me dit qu'elle l'a fabriqué elle-même dans son cours de vitrail. C'est une de ses seules réalisations artisanales qui ne soit pas botchée.

— Comment tu savais que j'allais aimer ça?

Elle hausse les épaules.

— Tu es ma fille, je te connais.

Je serre ma mère dans mes bras en lui disant que je l'aime. Quelques larmes tièdes tombent sur son épaule grassette.

À 12h34, tous les invités sont partis. Je ramasse les débris polis de ma famille.

***

Entre Noël et le jour de l'An, nous continuons les cours de musique. Gab et moi travaillons ensemble afin de commencer à créer notre duo de danse et contorsion pour le Maroc.

Un soir, je couche avec elle et me rends compte que je n'en ai plus envie lorsque, étouffée par sa chatte qui engouffre la moitié de mon visage, je me mets à penser à Tom. Cela n'enlève rien au fait que j'apprécie et respecte Gab. Vais-je continuer à m'excuser de la sorte ? Je me penche encore sur la question mais mes cheveux trop longs me cachent la vue.

Sans amour, le sexe ne vaut pas grand-chose. Révélation tardive.

J'enfonce ma langue dans son trou en me disant n'avoir jamais été aussi loin. La sensation est d'un confort contestable. Alors que je me félicite de mon exploit, une nausée me fait tousser. Je m'excuse pour cette erreur de jugement quant à mes capacités de déglutition. Je n'aurais pas dû avoir ce genre d'ambitions. Des larmes me montent aux yeux et je les essuie du revers de ma main avant de continuer ma manœuvre. Gab suce ses propres doigts avant de les déposer sur ma chatte. Ma main empoigne la sienne et la repousse.

— T'es pas obligée, c'est à toi que je fais plaisir.

— Moi aussi je veux te faire plaisir.

— Tu n'y arriveras pas.

Le lendemain, Tom m'appelle au moment où je mets les pieds dans l'appartement, de retour de chez Gab.

— Je viens te voir.

Je n'ose pas l'en empêcher. Je le laisse s'inviter. Il arrive vers midi et me demande de lui préparer un café. Je m'applique à outrance. Fière, oscillante, je lui sers un café étagé dans un verre transparent. Il me remercie en caressant mon épaule et je rougis en pressant mes mains moites l'une contre l'autre. Je lui donne son cadeau de Noël. Il ouvre la vieille boîte à souliers Reebook et y déniche une chemise à carreaux bleus et rouges qu'il enfile aussitôt. J'ai l'impression de côtoyer un bûcheron en mesure de me construire une cabane dans le bois. Le syndrome Roy Dupuis. Tom me guide jusqu'au futon, où il s'étale de tout son long, à l'aise. Je prends place à ses côtés, suspendue entre deux états opposés, de la crainte, du bonheur. La crainte du bonheur.

Il m'attire à lui en un mouvement persuasif — la chemise à carreaux y est pour beaucoup — et je me laisse tomber sur son torse.

— As-tu commencé à apprendre des tounes avec les partitions que je t'ai prêtées ?

Comment lui dire, sans avoir l'air fanatique, que je me suis donnée corps et âme dans ce projet et que j'ai déjà appris trois nouvelles pièces depuis une semaine ? J'esquisse un sourire.

— Tu veux me jouer quelque chose ?

Je vais chercher ma guitare et m'installe. Il m'encourage à commencer et au début, ma voix hésitante me fait sursauter. J'essaie de me calmer en me disant que son envie de me baiser saura améliorer mon talent aléatoire. Avant que la dernière note ne retentisse et qu'elle ne meure dans le silence de mon loft vide, il m'embrasse. Un baiser volé de plus. Est-il possible de se sentir aimé et en danger à la fois ?

30

La fête du Nouvel An se déroule chez Gab. J'arrive à l'avance, c'est ma marque de commerce. C'est le meilleur moyen de me garantir une corvée obligée. Gab n'est pas prête à accueillir ses invités et elle m'affecte au ménage de l'appartement une fois de plus. Malgré mes protestations, je me retrouve avec un tuyau d'aspirateur dans la main. Je le fais aller placidement d'un meuble à l'autre. De toute façon, l'engin, à la fine pointe de la technologie, paraît renifler de par lui-même les aspérités du plancher.

Gab installe le jeu *Dance Revolution* sur sa console mais elle semble vouloir lire la totalité des caractères couchés sur le mode d'emploi avant d'amorcer toute manœuvre qui s'avérerait fatale. Un vieux CD de reggae ponctue les marmonnements de mon amie. Dehors, un froid polaire crayonne de frimas les fenêtres. Le système de chauffage crachote du mieux qu'il peut des bouffées de chaleur qui s'évanouissent rapidement dans l'espace. J'essaie de les stocker en moi pour faire disparaître la chair de poule agaçante qui parasite ma peau. Les membres entremêlés dans un ou deux fils — c'est difficile à évaluer —, Gab me demande si j'aimerais nettoyer sa salle de bain. Oui Gab, j'ai toujours rêvé de jouer les femmes de chambre pour toi ! Aurais-tu un uniforme à me prêter aussi ? Je me sers un verre de vin avant de entreprendre cette tâche discutable. Quand, en train de récurer la baignoire de mon amie, les genoux écorchés par la céramique, j'entends l'aspirateur repartir de plus belle, je ne peux réprimer un soupir de résignation. Je savais bien que Gab ne pourrait étouffer son envie de contrôler la qualité de ma tâche précédente. Ai-je déjà accompli une besogne sans qu'elle corrige mes supposées erreurs de parcours ? C'est improbable.

Ma tenue de soirée embaume le désinfectant lorsque les invités commencent à arriver. Je les salue, gênée par les giclées d'eau sur ma chemise blanche et par ma mise en plis ravagée. J'empoigne mon verre de vin et quelques olives vertes avant de me fondre dans le divan du salon où déjà quelques personnes ont entrepris de faire un concours de *Dance Revolution*. Je me cache derrière ma coupe de vin en espérant qu'on ne m'y trouvera pas. L'idée d'étaler mon incoordination sur un tapis de plastique coloré avec, en trame de fond, une poignée de gens surexcités qui m'encouragent dans mon humiliation n'est pas attirante. Gab se joint à nous et tous scandent son nom à l'unisson afin qu'elle participe au concours. Un sourire narquois se profile aussitôt sur ses lèvres rougies par le vin et elle s'élance sur le tapis avec la frénésie d'une enfant trisomique. Ses pieds piochent le vinyle qui couine sous la secousse et, malgré moi, je me mets à encourager ses pas, à m'égosiller lorsqu'elle réussit une bonne séquence. On me parachute là où je ne voulais pas être, sur le tapis. Je me prête sans succès au jeu avant de m'éclipser en faisant mine de ne pas voir le piètre résultat s'affichant sur l'écran démesuré.

À la cuisine, les convives trinquent en face des olives, des petits cornichons sucrés et des chips sel et vinaigre qui gisent sur une nappe en dentelle. Près de l'escalier, j'aperçois Mel et Nini, que je m'empresse de rejoindre. Elles ont les paupières lourdes et leurs gestes visant à me saluer sont imprécis. Nous nous esclaffons, grisées par l'alcool et par l'arrivée d'une nouvelle année, qui ne peut qu'être la promesse de surprises et de plaisirs partagés. Nous sommes optimistes. Un homme vient s'intégrer à notre discussion confuse et Nini me darde aussitôt de regards évocateurs. Je ne les comprends pas. Ses longs cils balaient l'air avec véhémence. Elle tire Mel par le bras pour l'emmener loin de nous. Celle-ci lâche un glapissement irrité qui s'affaiblit derrière la porte de la salle de bain. Je me retrouve seule avec l'inconnu, mes yeux dérivent partout sauf sur lui pendant qu'il se présente sans que j'entende son nom. Il me demande si je veux d'autre vin et j'opine en relevant au ralenti le regard sur lui.

Ma bouche tombe, ma langue s'assèche, mes mâchoires se crispent. Mes yeux visitent les siens, d'un bleu caverneux. Je reste là, à le contempler, à le vouloir malgré moi, à me vouloir exulter sur sa poitrine d'une beauté percutante, entre ses mains gigantesques. Il me prend par l'épaule et me guide en direction des bouteilles d'alcool pendant que je braque mes prunelles sur lui. Un vrai bombardement, avec des obus et tout. Je ne le connais pas mais lui semble savoir qui je suis. Il me parle de plein de choses, de façon très naturelle, sans se soucier de savoir si je l'écoute ou non. J'essaie de me concentrer mais en vain. Au milieu d'une de ses phrases, je me colle à son torse et il accepte cet élan d'affection en tapotant mon dos. En me retirant de sa chaleur, je m'excuse pour cette effusion de tendresse.

— C'est OK Kira, c'était bien en fait… À ce propos, comment ça va avec Tom ?

— Euh, je ne sais pas.

Hébétée, j'essaie de me souvenir si j'ai déjà vu cet homme mais je suis certaine que c'est la première fois que je le croise. Tom est la seule personne qui aurait pu lui parler de notre relation. Je regrette aussitôt mon élan passionnel précédent car je suis de toute évidence en présence d'un des amis très proches de Tom.

— Je suis vraiment désolée pour tantôt, je ne savais pas… euh… Je pense que j'ai bu beaucoup de vin.

— C'est pas grave Kira, c'était juste une petite accolade entre amis. On est amis, hein ?

— Si tu veux.

Il semble avoir un don de persuasion aiguisé car immédiatement, je me sens mieux en sa présence. Nous continuons à discuter. Je commence à entendre ses paroles, qui, à peine quelques minutes plus tôt, rebondissaient sur la carapace de ma fascination pour lui. Nous sommes rejoints par Tom qui vient se placer entre son ami et moi. Je lui souhaite la bonne année et il m'embrasse dans le cou. Une décharge me paralyse. J'avais oublié à quel point je me sens attirée par lui, de manière si intense que c'est difficile à maîtriser.

— Tu m'as manqué Kira.

— Je... mmpff... Tu vas toujours me manquer Tom.

J'ai l'impression de le retrouver, même si ce n'est pas la première fois que l'on se revoit depuis notre séparation plus tôt cet automne. À côté, son ami se dandine d'inconfort, avant de nous serrer tous les deux dans ses bras énormes. Nos joues s'écrabouillent sur son torse bombé. Lorsqu'il nous libère enfin, Tom se retourne vers son ami et ils entament une conversation pleine de camaraderie. Pourquoi ne m'a-t-il jamais parlé de lui ? Le sourire aux lèvres, je les regarde discuter sans écouter ce qu'ils disent. Mon attention se pose sur la piste de danse où je m'élance, béate. Je tourbillonne, gigote, ondule, matraque mes genoux sur les praticables, balance ma tête dans toutes les directions. Je me noie dans la sueur de mon bonheur. Tom vient se coller à moi, il me manipule, me projette au sol et vient aplatir mon corps avec le sien. Ses doigts fourmillent sur ma peau humide. Autour de nous les gens vivent. Je m'en fous.

Nous roulons ensemble vers le divan, y prenons place, soudés l'un à l'autre. Une blonde aux seins immenses donne à Tom un comprimé d'ecstasy et je tends à mon tour la main vers le sac de plastique rempli de pilules roses. La fille en prend une et me la glisse sur la langue avant de me donner une bouteille d'eau pour faciliter son passage. J'ai à peine le temps de la remercier, je suis happée par Tom qui m'attire près de l'évier de la cuisine plongée dans la pénombre. Je retrouve Nini qui se ressert un verre et elle se penche vers mon oreille pour me chuchoter :

— T'as rencontré Jon ? Il est bandant, non ? Il vient de revenir à Montréal après une tournée avec Robert Lepage. Je voulais te le présenter au cas où ça ne marcherait pas avec ton innocent de clown torturé. Mais si jamais t'en veux pas de son ami, je vais le prendre… quand ça ne marchera plus avec mon mec.

— T'es vraiment conne Nini !

— À ton service Bebi.

Nous rions de bon cœur et elle s'éclipse pour aller fumer dehors. Tom me tend un verre avec insistance.

— Il faut boire de l'eau, il faut boire de l'eau Kira.

Je bois de l'eau.

En attendant les effets prometteurs de l'ecstasy, Tom et moi discutons. Il est survolté, me parle de projets fous, des plans qui incluent des maisons dans des arbres, des avions. Il est hystérique. Lorsque la drogue gagne enfin notre sang, nous cessons de parler. Il me regarde, ses pupilles dilatées m'inondent de concupiscence. Déluge.

— Je pense à toi tout le temps, qu'est-ce qui se passe ?

Je ne parviens pas à prononcer une seule parole. Ma bouche dérape sur la sienne et, accotés sur le lavabo, nous entamons le plus langoureux baiser de l'histoire. M'aime-t-il enfin ? Me veut-il entièrement ?

Lorsque nous émergeons de cette action gluante, je ne me sens plus bien. Ma tête pivote trop rapidement pour mon regard. Je commence à sentir le bruxisme de ma mâchoire, ma bouche cherche sa salive. Elle s'est enfuie. Mes yeux roulent derrière leur cachette comme s'ils voulaient se sauver eux aussi. Décollage. Je clopine aléatoirement jusqu'au salon, ou je retrouve l'ami de Tom assis sur le tapis noir en compagnie de la blonde aux tétines mirobolantes, la distributrice de drogue. Il me dit :

— Ça va Kira ? On dirait que tu ne te sens pas bien. N'aie pas peur, ça va bien, nous sommes de bonnes personnes, rien de mal ne t'arrivera. J'ai envie qu'on soit de bons amis, qu'on se rapproche. On va faire ça ?

Bredouillement aléatoire en cherchant Tom des yeux.

La fille équipée de seins grandioses m'attire à elle et mes deux nouveaux amis commencent à me caresser les avant-bras en souriant. Je les imite tout en réalisant que cet attouchement est d'une sensualité folle. Mes doigts sur leurs bras décrivent des cercles concentriques qui se renouvellent à l'infini. J'ai l'impression de sentir chaque parcelle de l'univers sur leur peau. J'ai envie de leur dire des belles choses aussi. L'ami de Tom me prend dans ses lourdes paluches et la fille platine me caresse les omoplates. Il m'embrasse, sa langue explore ma bouche aride. Il est bon, doux. Je m'écarte. Il chuchote dans mon oreille :

— Wow, j'ai tellement envie de toi. Dommage que tu sois avec Tom.

Suis-je vraiment avec Tom ? C'est difficile à dire.

Ses dents brillent comme des figurines de porcelaine.

— Tu es tellement belle. Tu es parfaite.

— Tu es parfait aussi. Mais la perfection fait peur.

Je me relève, vaguement bien, certaine que ces moments sont factices. Je prends la main de la blonde et celle de Jon, je les lie ensemble pour qu'il ne reste plus de place pour moi. Je retourne voir Tom, il danse, me voit et m'emmène loin de chez Gab. Un manteau est déposé sur mes épaules qui tremblent de plaisir et je me retrouve à courir dans les rues de Montréal avec la main de Tom dans la mienne. Nous courons à l'infini, sans sentir aucune fatigue. La radio d'un taxi arrêté sur le coin d'une rue nous crache aux oreilles la pièce « Paper Planes » de M.I.A. Nous nous engouffrons dans la voiture. Celle-ci fait tous les détours du monde pour se rendre jusqu'à chez moi. Je n'ai plus envie de réfléchir, je veux juste être dans les bras de Tom et y mourir parfois. Est-ce cela l'amour ? De petites morts salvatrices au contact de l'autre ?

31

Le 3 janvier en soirée, Tom s'invite chez moi. Je l'attends pendant plusieurs dizaines de minutes, errant dans l'appartement en ne sachant pas trop où poser mon corps affolé. Il arrive, emmitouflé dans un anorak qui se déploie telle une tente sur ses articulations osseuses et le cou entouré d'un foulard des Jeux olympiques de Turin qui porte son odeur indescriptible. Je lui sers un whisky cola et nous parlons de choses et d'autres dans mon lit.

J'ai mal au ventre à cause de mes règles. Il dépose sa tête sur mon pubis et la chaleur émise par ses tempes parvient à adoucir les crampes. Je peux sentir la forme de son oreille sur mon épiderme mince et fragile, le duvet de son lobe qui se chamaille avec celui de mon bas-ventre. Si j'étais enceinte de son enfant, Tom poserait aussi sa tête sur mon ventre, il écouterait les papillonnements de la petite poupée en formation, inquiet, père.

Lorsque je m'endors, je sens dans mon dos ses doigts qui me câlinent. Des frissons parcourent ma peau. Toute la nuit, il ne dort pas. Il manipule mon corps inerte et m'embrasse dans mon sommeil. Je me laisse faire, bercée par son attention emmiellée. J'aime les hommes qui ne dorment pas. J'aime Tom.

Le lendemain matin, nous allons encore déjeuner au restaurant Mosaïk, ce lieu imprégné de souvenirs chatoyants qui reviendront me hanter lorsque tout cela sera fini. Je lui souris, il me sourit, nous sourions au serveur mulâtre. Nos yeux discutent ensemble de l'éternité alors que nos bouches se contentent de banalités. Sa main dans la mienne, il me suit jusqu'à l'épicerie du quartier pour me voir acheter des rouleaux de papier de toilette et des éponges à récurer.

Nous devons nous rendre chez Gab pour une réunion qui porte sur les différents numéros susceptibles de faire partie du spectacle au Maroc. Pour la première fois depuis le début de nos rencontres, je parle de mon projet incluant des ustensiles, des couteaux, en omettant de spécifier que c'est en réalité le mobile confectionné par ma mère qui m'a inspirée. Gab semble indécise quant à la pertinence de mes idées mais elle décide de me faire confiance. À la fin de la réunion, Tom me dit qu'il viendra chez moi demain matin pour qu'on joue de la musique ensemble.

Il arrive vers 10 h, armé de son harmonica, de son corps souple, galbé, de sa barbe en bataille. Nous entreprenons de trouver des pièces que nous savons jouer tous les deux. Il me force à chanter. Je m'exécute. La gêne qui me pétrifiait quelques secondes plus tôt est neutralisée par Tom, par sa soif de moi, sa faim de mon corps. Lorsqu'il chante, mes organes se contractent. Je veux le serrer dans mes bras afin de rapprocher sa voix rugueuse de mes oreilles. Nini vaque dans l'appartement, tripotant son ordinateur de temps à autre et sa présence m'empêche de me précipiter sur Tom pour l'embrasser, lécher les recoins les plus hermétiques de son cœur, le torturer, lui faire mal autant que j'ai mal d'être si bien avec lui.

Après quelques heures de piochage d'instruments, nous allons manger dans une cafétéria du Mile-End. Dans la rue enneigée qui crisse sous nos bottes rembourrées, il glisse sa main dans ma mitaine et gratte ma paume humide avec ses ongles inégaux. Son nez congelé vient butiner sous mon écharpe et il laisse au passage un frisson, qui sprint jusqu'à mon cœur.

— Il faut que j'aille continuer mes réno.

— Tu veux que je t'aide ?

Il accepte, ému. Nous allons à la quincaillerie afin d'acheter quelques éléments nécessaires pour notre après-midi. Sensation d'avoir un quotidien avec lui. Il ne semble pas trouver ma présence lourde malgré le fait que nous n'ayons pas l'habitude de nous voir aussi longtemps.

Chez lui, il me prête un chandail bedaine jauni et un jeans trop court qui semble gluant.

— Je ne veux pas que d'autres hommes remarquent tes jolies fesses.

En me remettant un pinceau, un rouleau, un bac et un galon de peinture pivoine, il m'indique les murs à peindre, avant de s'atteler au sablage du plancher de la salle de bain. Je m'applique de mon mieux pour effacer les traces et les couleurs que sa femme a laissées chez lui.

Tom vient me rejoindre pour m'aider dans ma tâche. Il me dit qu'il veut construire un lit à baldaquin pour sa fille. Je ne peux m'empêcher de penser à ma propre chambre lorsque j'étais gamine. Je soupçonne mes parents d'avoir attendu un garçon car mon papier peint ainsi que mon couvre-lit étaient couverts de camions et d'avions bleus, rouges et jaunes. Raphaël et Donatello me servaient de poupées. Les couleurs de mes pyjamas étaient trop neutres pour être féminines et je voyais bien que ma mère me refilait des vêtements de garçon. Elle tenait à me couper les cheveux en forme de champignon. Je n'étais pas désirée... moi et ma féminité évidente, mon sexe renfoncé plutôt qu'externe, mes lèvres de lolita débauchée. Maman voulait créer un bébé butch mais peut-être suivait-elle seulement la mode des années 80. Mon père n'avait rien à dire sur tout cela.

Tom se roule un joint. En lichant le rebord du papier à rouler, il me demande ce que j'aimerais faire ce soir et je propose qu'on loue un film. Nous continuons à peindre les murs, recevant parfois des gouttelettes qui font comme une constellation d'étoiles liquides sur nos vêtements usagés. Lorsque je veux descendre de l'escabeau sur lequel j'étais perchée afin de rejoindre le haut des murs, Tom vient m'aider et je fais mine d'être malhabile pour qu'il me prenne dans ses bras et qu'il me couvre d'attentions. Nous tombons sur le plancher et restons quelques minutes immobiles, entrelacés. Je colle mon oreille sur sa poitrine et j'entends les rugissements étouffés de son ventre qui s'abaisse et se soulève.

— Veux-tu prendre une douche?

Je le talonne jusqu'à sa chambre et nous commençons à retirer nos vêtements souillés de peinture. La fenêtre du côté nord tombe sur une cour intérieure ensevelie sous une maigrelette couche de neige immaculée. Dehors, un chat tigré promène sa queue rabougrie sur le frimas de la vitre, en équilibre précaire.

— Chnoutt, Chnoutt…

Les voisins de Tom.

— Tom, peux-tu récupérer notre chat s'il te plaît? On doit partir et il gèlerait toute la nuit dehors.

En me voyant, les voisins sursautent. Leurs sourires s'effacent.

Tom ouvre la fenêtre, empoigne le chat et me quitte pour aller le leur rendre. Lorsqu'il revient, sa voix est austère.

— Viens, on va chez toi.

— Pourquoi, es-tu gêné que tes voisins m'aient vue?

— J'ai pas envie d'en parler.

— Est-ce qu'ils sont encore en contact avec ton ex-femme?

— Laisse tomber.

Je refoule mes larmes. Elles m'inondent la tête.

Nous louons un film d'horreur russe au vidéo-dépanneur à deux coins de rue de chez moi. Après vingt minutes de carnage sanglant incompréhensible, nous arrêtons notre visionnement, désorientés devant le scénario nébuleux. Tom retire mes vêtements, mes sous-vêtements et commence à me cajoler avec ses lèvres, tout près de mon sexe.

— C'est comme un bijou fragile qu'il faut chouchouter.

N'ayant aucune objection concernant cette affirmation, je le laisse faire. Sa langue effleure ma peau et je sens le plaisir monter en moi en de puissantes vagues continues. Je plante mes ongles dans ses épaules mouchetées de taches de rousseur en arquant le bassin afin de lui laisser l'espace pour vénérer ladite chose précieuse. Jamais avec lui le cunnilingus n'a été aussi enivrant. Où a-t-il appris ces techniques qu'il ne semblait pas maîtriser auparavant? Je me fais une note cérébrale afin de me pencher sur la question une autre fois.

Je l'attire vers moi pour lui manifester mon contentement. Dans ses yeux, une lueur de satisfaction. À partir de maintenant, tout sera différent.

32

JE PARS POUR QUÉBEC, souper de Noël paternel oblige. Aussi, je donne six heures de stage de contorsion étalées sur deux jours à quelques élèves de l'École de cirque. J'arrive en début d'après-midi, un peu groggy. J'aurais aimé rester avec Tom.

Les trois premières heures de stage se déroulent bien. Les jeunes sont morts après leur séance avec moi. C'est satisfaisant de tuer leurs espoirs de devenir bons tout de suite. Je me venge au nom de mon manque de talent.

Ma tante vient me chercher à l'École pour m'amener chez mon père, en périphérie campagnarde de Beauport. Ma belle-mère m'accueille avec chaleur. Mon paternel reste discret, ému derrière son tablier à pois. Ma tante a apporté plusieurs bouteilles de vin, mon père a commandé des plateaux de sushis et mon frère a amené son copain. À chacun sa contribution. Les soirées familiales chez mon père, toujours opulentes, me donnent mauvaise conscience. J'ai de la difficulté à résister à cette profusion de nourriture toquante.

Une fois, alors que nous savourions une moussaka végétarienne qu'il avait concoctée, il a énuméré à haute voix les ingrédients qui figuraient dans la recette. Une manière comme une autre de se valoriser.

— La recette demandait ¼ de tasse d'huile d'olive mais j'ai décidé de mettre une tasse complète.

Il guettait gravement notre réaction.

Nous nous étions tous dévisagés, la boule de moussaka lipidique glissant sur les parois de nos bouches interdites. J'avais eu beaucoup de difficulté à avaler le reste de mon assiette. J'aurais préféré qu'il taise son secret de chef.

Ce soir, j'ai la nausée et je mange très peu. Lors de la distribution des cadeaux, mon manque d'enthousiasme plombe l'ambiance. Je me demande la raison d'un tel désintéressement. La réponse viendra quelques minutes plus tard, tout juste avant le dessert, sous la forme d'un ragoût de vomi dégoulinant de ma bouche tordue qui, heureusement, se déverse à temps dans la cuvette de toilette.

Je reviens à la table, mon visage vert ne présage rien de bon. Je m'excuse, vidée.

Ma tante me reconduit chez ma mère, à quelques rues de là, où je prends un bain brûlant avant de me coucher. Une bassine métallique attend de se faire remplir à côté du lit, tranquille.

Au matin, tout ce qu'il y avait dans mon corps est dans les égouts de la ville et sur le plancher de la salle de bain. La blonde de ma mère va me chercher des Immodium et du Pedialite pendant que j'appelle le responsable de l'École de cirque pour annuler mon stage. J'accepte que ma mère me conduise au rendez-vous prévu pour mon transport en covoiturage jusqu'à Montréal. Je prie pour qu'on lui octroie la concentration nécessaire afin qu'elle me mène en toute sécurité à bon port. Je garde dans mes mains tremblantes un sac de plastique IGA en espérant ne pas avoir à m'en servir sur la route.

Arrivée chez moi, je vais me coucher, contente de ne pas avoir à donner d'excuse bidon qui expliquerait ma présence dans un lit à 19 h.

Fièvre. Je suis un stroboscope vivant.

Pendant les jours suivants, je traîne sans implication mon corps lessivé dans l'appartement. Tel un zombie grisâtre, je me décompose sur mon chemin, lequel se déploie surtout entre mon lit et le futon du salon. Je ne fais rien à part regarder les plafonds en espérant que l'énergie revienne même si rien ne peut pénétrer dans ma bouche.

Un soir, j'appelle Tom pour qu'il passe chez moi, en moi, mais il décline l'invitation.

Objet: Bon matin!

Je n'ai pas eu le courage de venir chez toi hier. J'ai eu peur de n'avoir plus envie de partir une fois dans tes bras. Comme piètre soulagement je te propose une livraison de ce dont tu auras envie, vers midi. Qu'est-ce que t'en dis ? Je t'appelle.

En attendant, gros câlin, encore virtuel !

Tom

Il est 11 h et je ne peux déjà pas rester en place. Je repense à notre dernière soirée ensemble, lorsqu'il m'a fait jouir, et une bouffée d'excitation mêlée à un suspense maladif me submergent.

Il arrive à l'heure prévue équipé de sandwichs tortilla au poulet et de quelques jujubes multicolores dans un sac en plastique. Les petits oursons gommeux s'écrasent sous ma dent. Tom entame une discussion avec El Tornado et j'aimerais que ça finisse bientôt car je le veux tout à moi et dans ma chambre. Des grains de fromage tombent sur ses pantalons et il ne s'en aperçoit pas, comme un petit garçon.

Dans mon lit, les brins de fromages collent sur mes cuisses nues.

— Qu'est-ce que tu fais avec moi Kira ? Pourquoi tu continues à me laisser entrer chez toi ?

Je n'aime pas le ton qu'il emploie. Il pense ne pas me mériter. Pour toute réponse, je le serre dans mes bras et je le console de son angoisse soudaine. Lorsqu'il m'annonce qu'il doit partir, j'ouvre mes bras sans broncher en me répétant qu'au Maroc, nous aurons tout le temps l'occasion de dormir ensemble. Une fois seule, je cueille les morceaux de fromages restés sur mon lit et les conserve longtemps dans ma paume comme les vestiges précieux de notre amour fragmenté.

33

UNE NUIT AGITÉE, un torticolis récurrent, des heures de suspension au-dessus des nuages, ça remet les choses en perspective. Ces « choses », ça inclut ce voyage en territoire marocain, ces heures passées à parler d'un spectacle à créer, encore embryonnaire ; ces minutes d'incertitude, ces demi-secondes de clarté. Pourquoi cette peur ? Je ne sais pas. Peut-être est-ce cette sensation intangible de ne pas être une créatrice douée. Il y a ces dénigrements intérieurs qui me pétrifient d'angoisse, qui me tordent la gorge. Peu importe ! Je me suis levée pour prendre cet avion ce matin, malgré mon envie de fausser compagnie à Gab. La vie ne peut que continuer, que j'y participe ou non. Tom est là, confiant, affaissé sur son siège turquoise picoté de noir. Tom avec son zèle infini et sa dévotion admirable. Je n'ai rien à craindre, je serai en sécurité. Gab, masque bleu douillet sur les paupières, roupille à quelques rangées d'avion de distance, la tête inclinée, l'air insatisfaite de son confort. Sanna est assise entre Tom et moi. Je fais de petites mines contrites à l'homme convoité, le supplie en silence de remédier à la situation. Sanna, sensible, s'éclipse pour discuter avec Antony. Nous collons nos corps ensommeillés. Tom dépose sa tête sur ma poitrine et quelques secondes plus tard, il roupille en ronronnant comme un bébé tigre. Je laisse tomber ma tête sur la sienne.

Nous volons à quelques kilomètres de la terre ferme vers Salé, cette ville asphyxiante et généreuse à la fois. En théorie, nous seront accueillis à notre arrivée mais les Marocains ont cette fâcheuse habitude de voir la ponctualité comme quelque chose d'optionnel.

La ville respire mal sous un smog épais, pâteux. Les participants du projet nous accueillent à la sortie des douanes. On me catapulte d'un Marocain à l'autre et j'essaie de mémoriser les noms de tout le monde, en faisant rouler ma langue de façon abusive.

Entassés dans plusieurs petites voitures déglinguées, on nous amène aux résidences. Sur la route, des adolescents à la peau moka nous proposent du nougat ramolli par la chaleur. Des enfants au nez croûté attendent la lumière rouge afin de quémander leur pitance aux automobilistes. Il y a aussi des détonations inquiétantes qui nous font sursauter, moi et mon siège humain, Gab, qui se plaint de mon poids en disant que je vais ruiner son tailleur.

Dans les rues qui rétrécissent à mesure que l'on se rapproche de notre destination, on entend le chant de quelques oiseaux exotiques. Ces airs sifflotés vont de pair avec les klaxons des Fiat dont les exhalations s'envolent rejoindre le reste de la masse smogueuse au-dessus de la ville. C'est une belle journée.

Dans les appartements, nous sommes divisés en deux groupes. Antony et Sanna sont propulsés vers le troisième étage. Gab, Tom, et moi sommes expédiés au cinquième. Il n'y a que deux chambres pour trois occupants. Malaise. Gab me demande si je veux partager la chambre avec elle et j'accepte avec un rictus acerbe. J'aurais aimé pouvoir être avec Tom mais cela aurait impliqué de devoir assumer notre relation. Je ne sais pas si je suis prête. Je me sens moche envers Gab. Nos relations ont juste cessé, sans que rien n'ait été dit. Lâcheté. Je traîne mes bagages sur la moquette usée, humide, avant de me laisser tomber sur mon lit simple en pensant aux désagréments certains que cette situation implique. J'étais persuadée de pouvoir partager seize somptueuses nuits avec Tom — dans l'optique où nous avions tous des chambres d'hôtel séparées — mais je me retrouve avec une colocataire indésirable.

Notre conducteur, qui s'avère être notre coordinateur de projet ici à Salé, nous explique le fonctionnement des résidences en se comportant comme le majordome élégant d'une auberge cinq étoiles. Il nous pointe une pièce qui a toutes les caractéristiques d'un placard. Dans celle-ci figure la non-douche et la non-toilette. Cette dernière ressemble à une poubelle en métal. La non-douche est en réalité une cabine en bois avec un trou dans le plancher. Je demande, hésitante, où se trouve le robinet d'eau courante et l'homme me pointe un énorme bassin d'eau en même temps que la cuisinière.

— Tu mets l'eau dans la pochette et tu prends ta douche. Facile.

Facile.

— Pour le Pot à Miel, c'est préférable de ne pas y faire un numéro deux. Tu vas à la cantine et tu y fais ce que tu as à faire. Tu n'as pas à te présenter comme tel: « Bonjour, mon nom est... » Quel est ton nom?

— Kira

— Alors: « Bonjour, mon nom est Kira et je viens faire un caca. » Tu vas juste directement aux cabinets de toilette. Ils sont habitués.

Ça m'a rassurée de ne pas devoir associer mon nom à ce mot, de ne pas devoir faire des comptes rendus de cet acabit à une serveuse marocaine en tablier rose.

— J'oubliais. Tous les deux ou trois jours, il faut vider le Pot à Miel dans le contenant vert à l'extérieur des résidences.

Ça va chambouler la façon que j'ai de voir ma vie.

Nous sommes invités à souper au restaurant afin de rencontrer tous les collaborateurs qui travailleront avec nous au cours de ces deux semaines.

Je suis assise en face de Tom et ses pieds jouent avec les miens sous la table. Je me sens bien et j'espère que cet état perdurera longtemps mais ma bonne humeur est gâchée par une ingestion non prévue de nourriture. Je me reprendrai demain, me dis-je en face d'un baklava géant.

Avant de me souhaiter bonne nuit, Gab s'agenouille à côté de mon lit. On dirait qu'elle s'apprête à prier.

— Demain, j'aimerais que tu travailles ton numéro de contorsion avec l'idée dont tu m'avais parlé, celle avec les couteaux. C'est pour la conférence de presse dans quatre jours.

J'ignore pourquoi elle veut prendre ce risque alors que mon concept n'est encore qu'à son état embryonnaire. J'avale la boule de salive qui s'est formée dans ma bouche pendant qu'elle me faisait sa demande et j'accepte. Avant de m'endormir, je remercie quelqu'un dans les airs. Ça peut être n'importe qui, Dieu, ma mère, moi-même.

Le lendemain, nous sommes attendus au théâtre pour 8 h.

En me réveillant, je commence à préparer ma douche matinale. Je fais bouillir deux chaudières d'eau, que je déverse ensuite dans une grosse poche noire informe qui fait office de douche. Puis, en installant ladite poche sur le crochet dans la cabine de bois, je me rends compte qu'un autre projet me caresse la tête, un projet d'ordre évacuatif. Je me rends, tel qu'indiqué, à la cantine des résidences.

Ébouriffée, je grimpe l'escalier de la cafétéria, un fast-food miteux appelé Cantine internationale. Dans mon ascension, je rencontre Gab. Elle comme moi savons ce que je suis venue exécuter ici et c'est alors que je me rends compte de la sublime intimité dont je jouis chez moi, à Montréal. Je vais taire les détails de mon escapade mais en ressortant de la cantine, je m'empresse de courir, honteuse, afin de regagner la résidence. Gab m'intercepte et c'est devant son café au goût qui me semble douteux — je me fie aux grimaces que son visage exécute à chaque déglutition — que nous nous mettons à ne pas parler, jusqu'à ce que je prétexte ma douche qui refroidit dans sa pochette noire pour pouvoir m'évader avec un pincement d'inconfort. Sur le chemin du retour, je croise Antony, armé de la même expression faciale que moi. Un mélange de gêne et de bienveillance.

À genoux sur un tapis en caoutchouc turquoise, car le crochet pour la pochette est situé à la hauteur de mon abdomen, je me dis que c'est bien, finalement, de connaître combien de bouilloires d'eau ça demande, une hygiène quotidienne personnelle. Demain, je vais expérimenter la même douche, mais sans me laver les cheveux, ce qui représente un autre calcul.

Au théâtre, nous avons une première réunion avec Gab qui nous explique le déroulement de la création. Il y en aura des dizaines d'autres au cours desquelles je manifesterai mon impatience en étant lâchement absente.

Pendant les premières minutes de son discours alternant entre deux langues, je l'écoute. Après, c'est flou. Je permets à mon esprit de dériver sur autre chose. Parmi les artistes assis en rond, certains sont attentifs et d'autres, comme Tom, s'affairent à autre chose. Il se mord les lèvres en tentant d'y prélever les peaux mortes qu'il avale avec indifférence. Autour, les techniciens préparent les installations scéniques.

Nous sommes dirigés vers une salle multifonctionnelle qui, au cours des deux prochaines semaines, servira de salle de danse et de répétition. L'assistant chorégraphe nous demande de nous disperser dans l'espace et nous commençons une classe de danse aussi incongrue qu'imprécise. Les exercices sont plutôt difficiles et notre professeur amnésique ne se souvient pas des enchaînements qu'il a élaborés. L'air vicié arrache à mes poumons quelques sifflements inquiétants.

Après le dîner, Gab me donne du temps pour travailler mon solo. Avant mon départ, ma mère a percé des trous dans une vingtaine de couteaux achetés au comptoir de l'Armée du Salut. J'ai attaché du fil de pêche à chacun d'entre eux et les ai regroupés par deux avec un élastique en caoutchouc. J'essaie de trouver les endroits stratégiques de mon corps pour les amarrer. Après quelques minutes de recherche, je décide d'en installer deux à la base de mes genoux et deux au-dessus de mes coudes. Huit ustensiles s'entrechoquent les uns avec les autres sur mon corps. Je m'isole pour ne pas importuner les autres artistes avec le bruit agressant que je produis en bougeant. Mes mouvements sont limités. Lorsque je me mets à élaborer une chorégraphie complexe, les fils s'entremêlent et l'effet est raté. Mon numéro sera simple. Je choisis quelques figures techniques que je mets en place dans un ordre logique.

Vers 18 h, Gab me demande de faire une présentation de mon travail devant tout le monde et je m'exécute, incertaine. Lorsque je me relève de ma dernière position et qu'un ultime tintement métallique rebondit sur les sièges vides de la salle de spectacle, Tom gueule :

— Bon, on dirait qu'on tient notre spectacle.

Je rougis de fierté pendant que Gab me donne ses commentaires.

— Trouve les intentions derrière tes actions. Répète ta séquence pour qu'elle devienne impeccable. Je veux sentir de la féminité, de la fragilité et du sexe. Joue avec les contrastes, entre le silence et le bourdonnement.

J'emprunte au pas de course les escaliers qui mènent à la salle de répétition et je continue mon entraînement, m'acharnant sur des éléments techniques.

Tom vient me rejoindre après quelques heures et il me demande de l'aider à construire son numéro de danse acrobatique. Je me couche sur un des matelas et lui demande d'improviser une séquence. Il se donne à moi, me démontrant une série de bizarreries intrigantes où il se déboîte les genoux, se cambrant aisément comme un morceau de latex. Je ris quelques fois. Il revient vers moi, à bout de souffle. Des joyaux de sueur étincellent sur son front.

— Man, c'était pas bon !

— Ben non, y avait plein de beaux moments. Celui où t'étais cambré et que tu as attendu à la dernière minute pour rentrer ta tête… C'était génial.

La journée s'étire jusqu'à tard dans la soirée et nous rentrons ensemble à pied. Sanna, Antony et Tom achètent un poulet rôti dans un boui-boui sur le coin de la rue et ils vont le partager dans l'appartement des musiciens. Je me joins à eux après une douche nécessaire et nous passons ensemble une bonne partie de la soirée, pendant que Gab travaille de son côté avec les techniciens de la salle pour installer quelques morceaux de scénographie. Je me sens un peu mal de profiter de mon temps libre alors qu'elle fait des heures supplémentaires mais je me promets d'être plus impliquée à partir de demain. Je me fais souvent ce genre de promesse.

Vers une heure du matin, Tom et moi montons au cinquième étage.

— T'es belle Kira, à chaque jour un peu plus.

Ses bras vigoureux entourent ma taille. Sa bouche retire les bretelles de ma camisole cerise. Il me pousse sur le dos et étend son corps sur le mien. Je suis inconfortable, Gab arrivera d'une seconde à l'autre.

— Pourquoi tu ne profites pas des moments qu'on passe ensemble ? On dirait que tu attends quelque chose pour vivre.

Je n'ai pas le temps de lui répondre, nous sommes pris en flagrant délit par Gab qui pénètre dans l'appartement armée de sacs d'épicerie jaune fluo. Je repousse Tom et me rends à la salle de bain.

Brossage de dents. J'embrasse tout le monde avant de me diriger vers ma chambre, embarrassée.

Devrais-je céder à toute pulsion qui me pousse vers Tom alors qu'une déplaisante impression de cul-de-sac me nargue ?

Les autres jours sont semblables, fatigants. J'ai la patience d'une enfant de trois ans. La création va. Je ne sais pas si elle va bien, si elle va mal, mais elle va. Il y a les moments boiteux, les réunions passées à dire qu'il serait important de ne pas faire des réunions de deux heures pour parler de ce qu'on devrait faire, plutôt que de le faire. Il y a les moments de gloire, les victoires subtiles, les illuminations. Ça fait partie de l'équilibre normal d'un projet. Aujourd'hui, c'est la dernière journée de travail avant la présentation aux médias. Rien n'est fini. La perfectionniste en moi a lâché prise il y a quelques jours, j'ai n'ai plus aucune attente de ce genre dans ma tête, seulement la certitude que le résultat sera éloigné de mon utopie.

Tom est en pleine lancée créative dans le sofa moelleux. Il fume un joint, absorbé par le fil de ses pensées, émettant des onomatopées imprécises. Je me glisse dans sa chambre, me blottis dans l'odeur de ses draps. Un long moment s'écoule avant qu'il ne s'aperçoive de mes tactiques pour l'attirer à moi. J'en ai un sac tout plein, de ces subterfuges mièvres. En m'entendant soupirer, Tom réagit et envoie valser son cahier de notes dans la pesanteur de l'air marocain avant de venir me rejoindre. Je prends sa tête entre mes mains et la couvre de baisers. Il s'allonge à côté de moi, me caresse le ventre sous mon chandail en tricot blanc. Le bout de ses doigts est rigide, écailleux. Exténués, nous nous endormons en nous caressant. Sa tête dans mon cou est lourde et réconfortante. J'ai été sotte de ne pas avoir osé dormir avec lui avant aujourd'hui.

À l'aube, je suis réveillée par Tom qui embrasse mon sexe. Somnolente, je jouis en poussant un soupir d'aise. J'aimerais qu'il soit en moi mais nous n'avons pas de préservatifs, ils sont dans le fond de ma valise dans ma chambre où dort Gab de son sommeil parfait, immaculé.

34

La costumière me prépare pour la conférence de presse. Elle ajuste sur moi un soutien-gorge transparent. Je ne suis pas nerveuse. Gab et Tom ont confiance en moi. Ceux qui ne participent pas à la conférence m'encouragent et m'embrassent. Je me lance sur la scène avec une arrogance déroutante. Je réussis toutes mes figures techniques et je parviens à m'impressionner par mon interprétation. Une séance de questions et un cocktail ont été prévus pour la suite de la soirée mais après quelques heures, je veux partir. Je suis exténuée. Je demande les clés de l'appartement à Tom mais il ne les trouve nulle part. Je fulmine de rage.

— Calme-toi. Il y a sûrement quelqu'un qui peut nous héberger pour la nuit.

Derrière nous, la costumière nous propose la chambre de ses enfants qui est inoccupée pour la semaine. Je cherche Gab pour lui dire qu'on s'en va mais je ne la trouve nulle part. Notre conductrice est bourrée et nous conduit chez elle à une vitesse meurtrière.

Dans sa maison à aire ouverte aux murs terreux, elle nous sert du thé à la menthe dans des tasses en porcelaine. Je vais prendre une douche. Tom vient m'y rejoindre et me frictionne le dos à l'aide d'un savon brun craquelé. Je ne suis plus tout à fait fonctionnelle et il semble se sentir obligé d'éponger l'eau qui coule sur mon corps à la sortie de la douche pendant que je croise mes bras sur ma poitrine pour me réchauffer. Des figurines de super héros affichent leur victoire sur une tablette en bois. Nous montons dans le lit à deux étages. Nos têtes touchent le plafond. Je me couche sur dos.

— Je suis quoi pour toi?

— J'sais pas… une amie délicieuse?

— Est-ce que je suis importante pour toi?

— C'est quoi, tu voudrais que je te demande de sortir avec moi?

— Est-ce que tu voudrais?

— Pourquoi on ne peut pas juste se donner du plaisir et que ça soit tout?

— Parce que je ne suis pas capable.

— Ben moi j'suis pas capable d'être l'homme que tu veux. Je ne peux pas te donner ce que t'attends.

Après un silence morbide, cette phrase émerge de sa bouche comme un orage d'été foudroyant:

— J'aurais pu choisir de passer ma nuit avec une dizaine de filles différentes mais j'ai choisi d'être avec toi.

Je ne trouve rien à dire d'intelligent. Je me suis fait larguer en pleine mer, avec des requins qui zieutent la plaie sanguinolente qui m'écorche le ventre. Je me tais. Il ne veut pas de moi. Je me retourne et lorsqu'il essaie de m'enlacer pour dissoudre mon fiel, je le repousse d'un coup d'épaule molasse.

Le matin suivant, je m'empresse de me lever pour retrouver la costumière dans la cuisine où elle m'a déjà servi un bol de fruits frais avec un café amer. Il arrive quelques minutes plus tard. Je n'ose pas le regarder. Un souvenir ricoche dans mes oreilles, cette phrase qu'il me répétait alors que je ne le connaissais pas :

« J'ai l'impression d'avoir quelque chose à accomplir avec toi. »

***

On nous lance dans une avant-première publique contre laquelle plusieurs d'entre nous s'insurgent. Nous ne sommes pas prêts, ni fiers de présenter cette carcasse de spectacle en devenir. Une certitude absolue, celle que la longueur de notre spectacle dépasse les limites tacites acceptables, moissonne en moi tout espoir de survivre à cette soirée en préservant mon amour-propre. Nous passons au travers de cet épisode flottant, les pièces du casse-tête créatif se fusionnent de par elles-mêmes et nous savons désormais ce que nous devons écarter afin de rendre l'expérience moins pénible pour l'audience qui fait preuve d'une grande indulgence envers notre travail larvaire.

Pendant l'entracte, je me rends à la loge de Tom pour récupérer mes couteaux que je laisse traîner sur la scène après mon numéro comme l'exige mon concept. C'est lui qui est chargé de les ramasser et de me les donner. Plusieurs fils ont été cassés et un élastique est brisé. À plusieurs reprises, je lui ai demandé d'être délicat avec mes accessoires car ils sont fragiles. Je les ai déjà réparés plusieurs fois.

— Mmm, t'aurais vraiment pu faire attention, ils sont tous sabotés.

— Kira, tu vas me foutre la paix avec ça. Je vais t'en faire mille autres si tu veux mais là tu commences à me faire chier avec tes conneries. Grandis un peu bordel !

Il lance les couteaux sur ma poitrine. Je tente de les démêler et de me contenir en même temps. Des sanglots escaladent ma gorge. Je me précipite dans la loge que je partage avec Sanna et me mets à pleurer. Je suis incapable de m'arrêter. Je dois être sur la scène dans quelques minutes. Sanna me caresse les cheveux et sa douceur apaise mes larmes pendant que j'essaie de sauver le reste de mon maquillage. Les différents fards coulent et se mélangent, laissant des traînées noirâtres sur mes joues rougies par la colère.

Le matin de notre dernière journée de spectacle, je vais déjeuner avec Sanna et Antony dans un petit bistrot où on me sert des crêpes à la cannelle et à la fleur d'oranger avec un thé à la menthe goûteux. Nous visitons Sala el Jdida, un quartier charmant où nous dénichons un marché public rempli d'enfants qui courent presque nus et qui tentent au passage de nous vendre des Chiclets pour une somme aléatoire de dirhams selon le gamin croisé.

Après notre dernier spectacle, nous procédons au démontage des divers appareils avant de nous rendre aux appartements afin de déposer le matériel. Je fume une cigarette près de la fenêtre en attendant Gab et Tom pour aller fêter. Je fais danser dans mes mains la boîte métallique contenant le reste des clopes tout en expulsant une fumée blanchâtre par la fenêtre.

— Ça va Kira ?

— Ouais. J'ai besoin de te détester pour ne plus t'aimer.

Il effleure mon bras. Mes poils se hérissent sous ce frôlement grave pendant que nos regards se croisent pour se détacher aussitôt. Nous empruntons les marches de l'immeuble en silence. Des voitures et leurs conducteurs viennent nous chercher et nous mènent dans un restaurant réservé par les Marocains. Après le souper, un peu étourdie par le vin, je vais voir Tom et me colle à son torse.

— Je m'excuse de t'avoir engueulé pour cette histoire de couteaux. Ça n'avait rien à voir avec le fait qu'ils soient détruits. C'était con de ma part.

— Je m'excuse aussi. Tous les soirs, j'ai regardé tes numéros et je t'ai trouvée parfaite, belle et désirable. Je veux arrêter de te blesser. Je ne sais pas quoi faire, parce que j'ai envie d'être avec toi, mais je sais que je te fais du mal.

Lorsque nous rentrons à l'appartement, j'enfile mon pyjama et je vais voir Tom dans sa chambre pour lui demander de me redonner l'oreiller que j'ai laissé sur son lit la dernière fois que j'ai dormi avec lui. Lorsque je passe le cadre de la porte, j'entends:

— Bonne nuit, mon amour.

Je serre les dents. Quelque chose de faux a résonné à mes tympans.

Dès le premier avant-midi de congé, j'ai la diarrhée. Mon ventre est un champ de mines antipersonnel. Pendant que Tom et Gab donnent des stages à des enfants de l'école de cirque de Salé, je regarde des films en espagnol et en arabe et fais la navette entre mon lit et le Pot à Miel, qui commence à libérer dans l'air des odeurs suspectes.

Le soir, Tom vient me voir avant de partir au restaurant avec les autres. Je préfère rester en position horizontale pour éviter de trop me vider. Simple effet de la gravité.

— Bonne soirée Kira, je vais revenir te border avant de me coucher tout à l'heure.

Pendant la nuit, j'attends Tom qui n'arrive jamais. Peut-être est-ce cela notre relation: une longue attente, une absence pesante et déroutante, parsemées de moments rappelant l'infini.

Dans l'avion du retour, Tom et moi sommes assis ensemble mais cette fois, ce n'était pas prévu. Pendant le trajet jusqu'à Montréal, il ne cesse de me tripoter et d'essayer de passer ses mains sur la totalité de mon enveloppe charnelle. Il émet plusieurs borborygmes inusités. Je mets cela sur le compte de l'excitation.

— Kira, Kira, Kira...

— Tom ? Pourquoi tu n'es pas venu me border hier soir, comme tu me l'avais promis ?

Il me regarde, hébété.

— Ben, Gab était là. Qu'est-ce que tu voulais que je fasse ?

Son ton est hautain, comme si je lui avais demandé cette faveur. J'ai envie de le gifler. Mais j'ai aussi d'autres envies innommables alors je ne fais rien.

— Tu n'arrêtes pas de me promettre des choses que tu ne fais pas.

— Oui, oui, c'est ce que je fais, j'imagine.

À Montréal, avant de monter dans un taxi, j'embrasse tout le monde et je remercie Gab pour cette expérience inouïe. Qu'ai-je à dire sur ce projet ? Nous avons eu onze jours pour nous sentir accomplis en tant qu'artistes, quelques heures éparpillées pour inventer une complicité interculturelle qui devait transcender les attentes d'un public assoiffé de vérité. J'ai maintenant dans la tête une cicatrice qui porte le nom de ce projet et sur le cœur une déchirure qu'il me faudra recoudre plus tard.

35

Le président d'une compagnie de cirque m'invite à prendre le thé chez lui. J'ignore comment il a eu mon numéro de téléphone. Il veut qu'on discute. Perché sur un coussin oriental parsemé de petites pierres métalliques, il me demande diverses informations concernant mes exigences lorsque je travaille. Moi et mon thé rouge ne savons pas quoi dire. Je reste là, à méditer sur mon existence qui manque de contenu. Je bafouille deux ou trois monosyllabes, qui s'évanouissent dans l'air avant d'avoir atteint les oreilles de mon interlocuteur. Peu importe ce qui l'a encouragé à vouloir me parler, il est probable qu'il soit maintenant mystifié par la déception. On est deux.

L'homme m'invite à une fête le lendemain, désirant me faire rencontrer un producteur norvégien qui envisage d'engager des artistes pour un contrat à Toronto pendant tout l'été. Tom a déjà été engagé. Si j'avais cet emploi, je pourrais être avec lui tout l'été.

Le lendemain, je me réveille avec près de 39 degrés de fièvre. Désirant rencontrer le producteur, je me rends à la fête vers 21 h. Plusieurs épisodes d'étourdissements et de nausées trahissent mon mal-être et j'essaie de rester assez longtemps pour me garantir, à l'aide de battements de cils, un emploi cet été. Lorsque je manque de perdre connaissance, je décide de partir. Au diable ma rencontre professionnelle qui n'en finit plus de ne pas avoir lieu.

Le lendemain, j'apprends que Nini a été présentée au producteur et qu'il l'a engagée avec Mel pour le spectacle à Toronto. Je me cogne la tête contre les murs en stucco de ma chambre, ajoutant de l'intensité à mes élancements. Il me semble tout à coup que je suis toujours malade. Peut-être devrais-je recommencer à manger.

***

Au début du mois de mars, je décide de faire un souper avec tous les collaborateurs montréalais du projet au Maroc. Je suis paumée car on vient de m'annuler une tournée canadienne sur laquelle je comptais pour renflouer mon compte en banque affichant des chiffres négatifs depuis quelques semaines. Souper communautaire. La journée précédant l'événement, une grosse boule d'angoisse m'empêche de réfléchir, d'être fonctionnelle. Je n'ai pas vu Tom depuis le Maroc et j'espère pouvoir lui parler demain. Je tue les heures en discutant sur Internet avec Oli le sodomite qui est à Milan en ce moment.

Oli dit :

Salut Kira

Kira dit :

Hey, salut

Oli dit :

J'ai un forfait illimité sur les appels au Canada. Tu veux que je t'appelle ?

Kira dit :

Non, je n'aime pas parler au téléphone.

Oli dit :

Haha, tant pis pour toi. Quand viens-tu me visiter ?

Kira dit :

Mmm… Quand je vais avoir assez d'argent pour manger !!!

Oli dit :

Ouin, je vois… Il me semble que je te ferais l'amour.

Kira dit :

... (Ou que tu me baiserais.)

Oli dit :

Je t'ai rencontrée dans un mauvais moment. Début de célibat, cerveau mélangé…

Kira dit :

J'avais remarqué !

Oli dit :

Tu te moques ? Tu fais bien…

Kira dit:

Je pensais que c'était ta personnalité de tous les jours, d'être aussi moche avec les filles.

Oli dit:

Là je suis bien. Je m'amuse, même si je m'ennuie des fois ici.

J'ai vraiment tripé avec toi.

Kira dit:

J'y repensais récemment et il y a quelques détails qui restent dans ma tête.

Oli dit:

Moi aussi, je ne sais pas si ce sont les mêmes... Ouin, je te ferais l'amour, après six mois d'abstinence.

Kira dit:

Abstinence, toi? Ben ouin!! Ça doit être déroutant?

Oli dit:

Je crois que j'ai envie de développer quelque chose avec une personne.

Kira dit:

Ça doit être la vieillesse... Es-tu sûr que tu bandes encore?

Oli dit:

Salope. Je t'aime bien toi, tu es piquante. Tu crois que toi et moi, on pourrait être ensemble?

Kira dit:

Euh, tu n'avais pas l'air de le croire, d'après ce que tu me disais cet été.

Oli dit:

Mais j'avais encore la tête ailleurs. C'est drôle, j'ai souvent parlé de toi à mes amis. Tu as toutes les qualités pour être ma femme. J'aime bien ta folie. Tu es belle, ouverte, pas trop compliquée, tu aimes le sexe, tu es folle, intelligente... De quoi pourrais-je rêver de mieux?

Kira dit:

Flatteur... C'est vrai que je suis parfaite... Des qualités supplémentaires feraient de moi un gâchis.

Oli dit:

Viens me visiter... Tu viendras c'est sûr. Tu en brûles d'envie autant que moi.

Kira dit:

Ce qui est certain, c'est que je ne brûle pas de confiance.

Oli dit:

J'aimerais t'avoir maintenant. Je te baiserais, et je crois même que ce serait violent! Demain matin ce serait plus doux. Je te prendrais dans mes bras, sans trop parler...

Kira dit:

OK, si tu veux... Je t'embrasse partout, laissant flâner mes lèvres sur ta peau. Je sens ton souffle plein d'excitation dans mon oreille... Une chaleur tenaillante attaque mon sexe.

Oli dit:

Tabarnak! Kira! Tu peux être sûre que je vais me coucher avec toi dans ma tête et dans mon corps.

Kira dit:

Je te veux, je veux te dévorer. Je veux sentir ton sexe dur dans ma bouche. Je veux le parcourir longtemps et sentir ton plaisir monter, jusqu'à ce que ça soit insoutenable. Je me lèche les doigts et je me caresse en même temps. Je veux que tu me voies jouir…

Oli dit:

Fuck yeah, je veux te voir jouir. Je me souviens de ton dos, de tes fesses. Je te lèche les lèvres, je glisse ma langue dans ton anus. Avec mon menton qui frotte ton clitoris.

Kira dit:

Je te veux encore en moi. Je veux que tu me prennes.

Oli dit:

J'entre en toi tranquillement, je ressors, entre à nouveau. J'accélère. Tu me prends les couilles avec ta main enduite de salive chaude.

Kira dit:

Je rentre mon doigt dans ton anus… Ça fait réagir ta pine.

Oli dit:

Ah, il faut prendre une pause sinon je vais venir. On arrête un peu, on se couche. Je te mords les seins doucement, c'est bon. Tu sais comment je voudrais que tu m'achèves? Tu t'assois dos à moi sur mon pénis, il est bien au fond, une main sur ton sexe et une main sur mes couilles.

Kira dit:

Je contrôle le mouvement. Je me masturbe. Tu sens les contractions de mon sexe sur le tien.

Oli dit:

Je te grafigne le dos. Je te tire les cheveux.

Kira dit:

Je cambre mon bassin et tu rentres profond

en moi. Je commence à augmenter la vitesse, mes fesses tapent sur ton ventre. Tu es sur le point de jouir…

Oli dit:

Je t'attends.

Kira dit:

Je n'en peux plus. Je vais venir aussi. Mes doigts vont et viennent sur mon clitoris. Je sens l'orgasme monter, monter et prendre possession de ma tête, de mon corps…

Oli dit:

Je vais venir. Je t'entends gémir. La tension est à son comble, pour laisser place à un doux soulagement. Il y a du sperme dans l'écran, haha. Je t'aime bien, tu es folle. Je te prends dans mes bras pour dormir en cuillère, si je ronfle, donne-moi des coups de coude, ça marche. Je t'embrasse la vertèbre cervicale numéro 1. Euh non, la 7 je crois.

Kira dit:

C'est précis!

Oli dit:

Je suis un gars comme ça.

Kira dit:

Parfait. L'approximation, c'est pour les débiles!

Oli dit:

J'aime mieux dire pour les différents.

Kira dit:

T'as du tact en plus! Mais tu es une perle!

Oli dit:

Haha! OK, je te laisse, tu m'as mis K.O. J'attends ta visite.

Kira dit :

Ça risque de ne pas arriver, mais bon. L'espoir fait vivre, on dit !!

Oli dit :

Haha ! OK, je suis naïf !

Kira dit :

Ben non. Ce n'est pas ma faute si je ne peux pas venir...

Lorsque je referme le panneau de mon ordinateur portable, un sentiment de culpabilité me submerge. Je ne crois pas un mot de ce qu'il m'a dit. Oli n'est pas du genre à se caser avec quelqu'un. C'est un joueur. Cette conversation n'a été qu'un jeu. Il me connaît bien mal pour penser que cette relation sexuelle est plausible. Ce n'est pas de ma faute si je ne peux pas venir. Tom me manque.

36

GAB VIENT S'ENTRAÎNER chez moi. À l'affût des potins qui circulent dans le domaine du cirque comme le virus de l'herpès, elle me demande si j'ai rencontré le producteur pour le travail à Toronto.

— Nini et Mel ont été engagées. Je crois que Nini est contente que je ne l'aie pas été.

— Euh, pourquoi ?

— Laisse faire.

Jamais je ne vais digérer mon incompétence dans la gestion de ma carrière. J'aurais dû rester plus longtemps lors de la soirée où je devais rencontrer le producteur. Je suis une débutante.

Après l'entraînement, je prépare la table pour le souper. Sanna et Antony arrivent presque en même temps. Il ne manque plus que Tom. Il appelle sur le cellulaire de Gab pour dire qu'il arrivera en retard et que nous devrions commencer sans lui. J'aurais aimé qu'il m'appelle, moi.

Une montagne infinie de nourriture trône sur la table : des calzones aux épinards et fromage suisse, du curry indien, du riz parfumé au jasmin, des verres de vin qui laissent des demi-lunes rougeâtres sur ma table, euh, la table de El Tornado.

Tom arrive alors que j'entreprends de préparer le dessert, des fondants veloutés au chocolat noir. Il dépose quelques bières importées sur la table et me demande si j'ai besoin d'aide. Il colle sa poitrine brûlante contre mon dos dénudé par le collet échancré d'une petite robe noire moulante. Son aide se résume à rester cramponné à moi pendant que j'évolue dans la cuisine, fouettant mon mélange riche et mordoré, ajoutant du cacao, du beurre, des œufs. Je lui donne la spatule tapissée d'une crème onctueuse et il dépose sa langue sur le fluide dégoulinant, avant de m'embrasser en secret. Au loin, une discussion animée engouffre notre intimité. Je mets au four la préparation divisée en six petits ramequins de porcelaine blanche et quelques minutes plus tard, je sers ces délices à mes convives. Les éloges fusent des bouches chocolatées.

Vers minuit, mes invités démontrent des signes de fatigue et quittent un à un en me remerciant pour la soirée réussie. Tom se rend à une fête obligée pour rencontrer un client et avant qu'il me quitte, je le prends par la main.

— Tu reviens après ta rencontre ?

Il acquiesce avant de disparaître dans l'ascenseur avec Gab, qui a trop bu. Je vais me coucher, en espérant qu'il reviendra. Me l'a-t-il promis ?

Un bruit d'eau qui coule. Quelqu'un utilise la douche. 1 h 36 du matin.

Tom, mouillé, se glisse dans mon lit. Il n'a pas trouvé de serviette pour éponger l'eau qui ruisselle sur ses membres. Il est à l'intérieur de mon corps. Je m'agrippe à son dos pour qu'il ne me quitte plus.

Le poids de son corps sur le mien. Son souffle qui réagit au rythme de ses coups de bassin.

— Tom, je t'aime tellement !

Au travers du condom, son sperme incandescent remplit mon sexe.

J'essuie les gouttelettes tièdes qui campent sur son front.

— Kira, c'est la première fois qu'on fait l'amour.

Il a raison. Je le sens. J'ai envie de pleurer et je ne sais pas si c'est adéquat. C'est comme si un professeur me donnait une bonne note après des années de travail.

Lorsqu'il me quitte à l'aurore, je l'entends qui s'affaire dans l'appartement. Avant que le silence soit complet, je perçois le bruissement d'un papier cartonné glisser sous ma porte. Je me lève après son départ et je trouve sur le plancher une carte qui semble avoir été achetée à l'entrée d'une station de métro, vendue par un itinérant qui se vante de les peindre à la main. À la lueur de cette nuit pure et blanche de mars, je lis son mot :

Et si on jouait à l'infini ? !!! xxx

***

J'aime…
Ton cou, dont l'odeur me rend femme, folle.
Ton ventre, ton nombril, honnêtes.
J'ai besoin d'y enfouir mon nez, d'y poser ma tête.

J'aime ta barbe qui cherche son identité.
Je l'aime longue, débauchée.
Je l'aime clairsemée.
Garçon calme, modéré.

J'aime tes yeux noirs, clairs à la fois.
Je les aime humides, pétillants,
mornes, ignorants,
entourés de marques, maladroits.

J'aime ta douceur.
Celle qui m'apprend à ne pas être qu'un objet.
Celle qui me fait penser que personne ne m'a comprise avant.

J'aime ta fougue, ta spontanéité réfléchie,
ton caractère impulsif, ta raison désordonnée,
ton honnêteté qu'il faut parfois déterrer.

J'aime ta joie de vivre, désespérée,
j'aime te voir créer.
Mélange de malaise et de vérité.

J'aime ta complexe simplicité,
ta simple complexité.
J'aime t'aimer, dépendance nocive.

Notre amour, friable.
Il s'efface à mesure qu'il s'écrit.
Je suis terrifiée à l'idée de voir cette page blanche, demain.
Alors que j'y ai mis autant de moi-même.

C'est une de ces douleurs qu'on ne peut plus éviter, maintenant.
Ce n'est plus important.

***

Depuis qu'il m'a écrit ces mots, « *Et si on jouait à l'infini ?* », je ne sais plus quoi penser. Je ne sais plus comment penser. Je ne sais même pas ce qu'il a voulu dire. Lorsque j'en ai parlé à Nini, elle a trouvé Tom adorable mais elle m'a avertie : s'il ne se manifeste pas après coup, c'est qu'il n'a rien à foutre de moi. Je sais qu'il doit partir en Belgique dans quelques jours et j'ai l'impression qu'il ne me contactera pas d'ici là. J'en veux à Nini. Je hais ses conseils. J'aimerais qu'elle m'écoute et approuve d'un signe de tête tout ce que je lui dis, qu'elle me réconforte dans mon utopie.

Hier, dans un moment d'inattention, je me suis retrouvée avec des McCroquettes badigeonnées de sauce barbecue entre les doigts, des frites trop salées entre les dents, une paille remplie de Coke Diet sur la langue. J'espérais retrouver le goût mielleux de son amour au sein de cet amalgame de malbouffe. Je ne sais pas pourquoi, le McDonald goûte son souvenir. À la place, j'avais Gab en face de moi qui se pourléchait les lèvres d'un festin similaire au mien. J'avais oublié de prendre une serviette pour essuyer mes mains et pendant que Gab parlait, je jouais avec les miettes de fausses pommes de terre mélangées à un sel grossier qui infestaient le bout de mes doigts lubrifiés d'huile. Elle essayait de me déconcentrer de ma quête, tentant de stopper les images de Tom qui émergeaient dans ma tête au contact de ce stimulus alimentaire. Je pataugeais, une boule de gras saturés me remontait l'œsophage à grands coups de rames.

Le lendemain matin, j'enfile mes chaussures de course et je pars à la conquête du parc Laurier. Dès les premiers mètres parcourus, je m'aperçois de mon erreur: ces pétasses de croquettes valsent encore dans mon estomac outré et elles alourdissent mes enjambées déjà peu dynamiques. À la fin de mon premier tour, mon œil dérouté se pose sur un morceau de carton coloré qui gît sur le sol au milieu de touffes d'herbe éparses et encore jaunâtres. Une pouponnière de gazon. Mes craintes se confirment. C'est une boîte de McCroquettes. La vie me nargue, et elle le fait à répétition car je croise toutes les fois cette preuve de mon relâchement. Je cumule quatre ellipses, malgré ma respiration entravée de friture. C'est dans ces moments-là qu'on se promet de ne plus jamais ingérer du McDonald, même si c'est pour ne plus ressentir la présence d'un ex-amoureux… ou son absence, ça revient au même.

Le fait qu'il ne me contacte plus est un élément qui manque de clarté dans ma tête. J'aurais besoin qu'il me dise qu'il ne m'aime pas. J'aurais cette certitude, la seule. Est-il encore possible de douter de l'orientation de ses sentiments? Avec beaucoup d'acharnement et de déni, peut-être.

Un matin, je décide de me prendre en main et je me rends dans un centre de jardinage pour acheter les graines d'une plante qui poussera en même temps que mon cœur se libérera de l'emprise de Tom. Chez moi, j'enterre les particules grises dans un terreau humide et je dépose le pot près de la fenêtre de ma chambre. Entre la base du contenant en céramique et son assiette, je cache un bout de papier sur lequel j'écris mon souhait: « *Guérir de Tom.* » C'est symbolique. Cette action m'apaise. Pendant quelques secondes, j'ai la tête vide. Bon départ.

Des souvenirs doux-amers s'éparpillent et se perdent dans ma tête. Ils bourdonnent et j'essaie de les chasser sans conviction. Il y a aussi ces bouts de papier griffonnés où son nom apparaît. Il résonne en moi, comme si on me le chuchotait à l'oreille. Il y a ces trous dans mon cœur fragilisé. Tous les jours, j'ai envie de lui parler, de lui écrire… mais pourquoi? Qu'est-ce que ça va donner? Rien. Je m'en rends compte. Peut-être que ça me fait du bien de le sortir de moi. C'est tout.

37

MA PLANTE D'ESPOIR n'a jamais poussé et lorsque j'ai creusé dans la terre pour retrouver les graines, elles étaient pourries. De petits filaments poussiéreux entouraient chacune des pousses. Cocons sans vie, tués.

J'ai dans la bouche un goût de néant, des rigoles pleines d'un liquide amer qui dénoncent son absence. J'ai sous ma peau des torrents visqueux qui me glacent l'échine, j'ai sa présence qui me colle à l'épiderme. Glaire indélébile. Là où ses doigts m'ont touchée, des galles purulentes gercent. Mes os se soulèvent et s'indignent de mon jeûne. Il y a aussi ces lettres relues, des paroles concassées, recollées. Des inondations dévalent mes joues, ces larmes affûtées qui me lacèrent la nuque.

Au début du mois d'avril, Gab m'appelle pour m'inviter au visionnement de la vidéo filmée au

Maroc. Je sais que Tom va y être. Je n'ai aucune idée de l'attitude à adopter. En me rendant à la station de métro, je vomis dans l'aménagement paysagé d'un lotissement de condominiums. On me rentre des vis dans l'abdomen. On me gratte les organes avec une ponceuse. On déchiquette mes côtes à coups de sécateur. Mon corps est un chantier de démolition rempli d'hommes. Ils éliminent, détruisent et effacent les traces d'espoir. Ces hommes ont tous le même visage, celui de Tom et de son incontestable pouvoir sur mon bonheur.

Gab est à ma gauche, elle sirote une Guiness. Sanna et Antony ne savent plus quoi faire du surplus d'inconfort qui domine l'appartement. Tom fume un joint dans un fauteuil déchiré à quelques centimètres de moi. Lorsque notre regard se croise, j'ai l'impression de mourir. De ses yeux émane une grande tristesse, une culpabilité infinie. Lorsqu'il m'embrasse avant de partir, il frôle le coin de mes lèvres. Sale joueur.

Gab m'invite à dormir sur son canapé et j'accepte, reconnaissante. Je n'ai pas la force de retourner chez moi.

— Est-ce que je peux utiliser ton ordinateur, j'ai un courriel à écrire.

— Ouais, fais comme chez toi.

J'écris à Tom pour lui dire qu'il faut qu'on se parle, que cela ne peut plus durer. Je ne suis pas certaine de ce qui ne peut pas durer. Je ne crois pas être prête à le perdre. J'aimerais qu'il arrête de m'aimer comme il le fait. Mal. A-t-il déjà su comment?

Gab me caresse les cheveux jusqu'à ce que je m'endorme. Lorsque je me réveille quelques heures plus tard, elle est assoupie sur le tapis noir. Veilleuse.

Je retourne chez moi à l'aube en lambinant, le temps n'a plus aucune importance. Tom a transformé mon présent en pages blanches. Pas vierges, vides. Le ciel a des allures de crème glacée à la fraise, avec ses frisettes de nuages crémeux, avec son soleil qui rougit de honte face au désespoir que je déploie sans retenue. La lune qui disparaît, aussi joufflue et satinée qu'un autocollant gonflé, fait office de cerise sur le sundae que représente cette aurore de printemps tant attendue… par d'autres.

En revenant du Starbucks, je déambule sur les trottoirs en espérant apercevoir la blancheur de sa Toyota Tercel mal stationnée sur l'une des rues adjacentes de mon immeuble, ou plutôt, de l'immeuble décrépi de mon propriétaire juif magouilleur. Tout de suite, en voyant ma défaite se confirmer, j'esquisse un début de sanglot que je refoule au plus vite, pensant pouvoir atteindre avec dignité l'intérieur angoissant de mon loft vide. Dans l'ascenseur, je pense au fait que Tom ne viendra plus jamais chez moi et de surcroît, en moi. Je n'ai pas la force de réfréner ces pleurs qui forcent la porte de ma gorge avec un tronc d'arbre en guise d'élément persuasif. Des somnifères nichent sous ma langue. Je les laisse fondre en vue de me mettre au lit et de tout oublier l'instant d'un dodo. Ils viennent titiller ma luette de leur goût sablonneux.

Je m'étouffe avec ma médication qui se voulait salutaire. Je me demande si les cachets d'oméga 3 que ma mère m'a envoyés par la poste et dont le flacon est estampillé du mot « Joy » vont m'apporter ce bonheur qui semble nébuleux depuis que Tom m'a propulsée dans un avenir dont il ne veut plus faire partie.

***

— Câlisse Bebi, tu me fais le coup à chaque fois !

— Pfff...

Comment puis-je démentir ça ? C'est une des certitudes de ce monde.

— T'es vraiment loser quand tu veux. T'es encore toute poudrée pis je suis sûre que t'as gardé ta brassière.

Nini tâte mon sous-boule. Je la laisse faire à moitié, je n'ai plus rien à lui cacher.

— C'est ce que je pensais, t'as encore ta brassière.

Pour Nini, le port d'un soutien-gorge dans un lit constitue un indicateur des plus pertinents. Il y a encore de l'espoir, pense-t-elle.

— Tu vois, ton inconscient veut que t'ailles au party. T'as pas le droit de choker, tu t'étais toute faite belle !

Je m'enroule dans mes couvertures un peu sales, tentant de me protéger des assauts belliqueux de ma coloc qui n'en peut plus de me voir me vautrer dans la mélancolie volontaire.

— Je suis fatiguée, laisse-moi tranquille.

— OK, c'est comme tu veux.

Nini fait mine de partir, armée de ses cils et de ses yeux couleur Windex qui affichent une contrariété lasse. Elle va m'abandonner, me laisser dormir pendant les vingt prochaines années, comme je le souhaite. Je ferme les yeux, mes dents se serrent en grinçant, puis je me mets à chigner. Des éructations involontaires se bousculent dans ma gorge irritée.

Un flot de couvertures s'envole autour de moi et j'aperçois, entre les taies d'oreillers qui se dérobent de sous ma tête et mes draps en coton égyptien, Nini, démoniaque.

— J'm'en vais te voler tous tes draps, comme ça, t'auras pas le choix de venir avec moi au party.

— Mais j'veux pas y aller câlisse, laisse-moi tranquille, j'ai pas la force.

Ma voix émoussée fait sursauter Nini, elle se pose sur le bord de mon lit en prenant la masse de draps dans ses bras, comme pour les réconforter à ma place.

— Mais Bebi, je veux juste que tu te changes les idées. Ça va te faire du bien de voir du monde, t'es rendue cloîtrée, pis je ne suis plus certaine si j'ai une amie pour colocataire, ou bien un zombie misérable.

— Je sais, scuse-moi, j'suis juste pas capable de sortir ce soir. Tiens, je te jure que la prochaine fois que tu m'invites, j'aurai pas le choix d'y aller. Si je refuse, je te devrai cent piasses. Mais laisse-moi toute seule pour ce soir.

— OK pour ce soir. Mais t'as pas le droit de laisser tomber tes amis comme ça encore longtemps, c'est clair ?

— Ouais, je sais.

Nini descend doucement de mon lit, avec la délicatesse d'une enfant calme. Elle me confie la boule de draps froissés entre les mains, comme le cadavre de sa tentative vaine, et elle ferme la porte de ma chambre. Je m'endors au rythme de ses déplacements désœuvrés dans l'appartement. J'entends quelques interrupteurs s'ouvrir et se fermer, et je crois m'éteindre dans mon sommeil au moment où la porte du loft se referme avec une brutalité apaisante.

***

Trois jours plus tard, je croise Tom dans un café sur Saint-Laurent.

— Vas-tu voir le show de cirque au festival Vue sur la relève demain ?

J'opine en regardant ailleurs.

— On se voit là-bas ?

Je marche jusqu'à la maison, la neige autour de moi n'est plus que gravier et amas carbonisés. Les rayons du soleil me rendent aveugle et nauséeuse. J'aimerais qu'ils me fassent fondre et que les résidus liquides de mon corps s'immiscent entre les dalles du trottoir.

J'ai mal d'avoir vu Tom, comme à chaque fois. J'ai besoin de faire quelque chose. Je prends un couteau à steak dans le tiroir à ustensiles et je ne me donne pas la peine de le stériliser avant de hacher la peau anémiée, translucide de mon avant-bras gauche. C'est pour faire plus réaliste. Je suis gauchère. Si je m'étais entaillé le droit, on aurait su que ce n'est pas un tigre qui m'a griffée.

Les résultats sont insatisfaisants. Je choisis un couteau plus affûté. Les gouttelettes de sang émergent des subtiles fentes. Soulagement. Trouble. J'aimerais que Tom soit là. J'aimerais l'embrasser pour me faire pardonner de ne pas l'avoir assez fait quand j'en avais l'occasion. Je veux le serrer dans mes bras et me dire qu'il m'appartient, lui dire qu'il pourra toujours compter sur moi. Je veux le caresser jusqu'à ce que sa peau redevienne sensible à la mienne. Je veux rester éveillée toutes les nuits s'il le faut pour continuer à jouir de lui. Arrêter de me retourner dans mon lit, insomniaque, parce qu'il n'est pas là. Parce qu'il n'est plus là. Je veux arrêter de me réveiller en constatant que je pleure dans mon sommeil. Je veux m'arrêter de vivre pour ne plus mourir tous les jours. Je veux qu'il meure s'il ne peut pas m'aimer.

Le lendemain. Neurasthénie. À l'entrée de la salle de spectacle où a lieu le festival, j'aperçois Tom. Distraite, je ne peux pas dire avec certitude quel est le sujet des tableaux de cirque qui se déroulent devant mes yeux. À l'entracte, je vais le rejoindre à son siège.

— C'est quoi, ce bandage sur ton bras ?

— J'sais pas trop, j'ai mal.

Je lui parle vaguement d'une histoire de tigre, mais je ne suis pas certaine qu'il m'écoute. Il m'emmène à l'extérieur de la salle où quelques tables rondes ont été disposées afin de permettre aux spectateurs de prendre une bière pendant la pause. Il veut m'offrir une consommation mais je refuse, je ne veux pas lui donner l'occasion de se racheter. Nous prenons place sur les chaises, en silence. Elles craquent, rouspètent. Qu'est-ce que je fais de mes envies, de mes désirs, qui explosent lorsque nos regards se croisent, alors que je sais que c'est impossible? Je les remise dans un coffre-fort pour les oublier le temps qu'il reconfigure sa vie dont je ne fais pas partie? Qu'est-ce que je fais du souvenir de ces moments où il a prononcé mon nom au sommet d'une jouissance douloureuse?

— Je me sens coupable. J'aurais dû répondre à tes messages, t'appeler.

Mais encore? Vas-tu arrêter d'être désolé et faire quelque chose? Il sort de sa poche une pile de papiers tout ridés.

— Tu m'as écrit des lettres rétroactives?

— Non, ce sont tes lettres. Je les traîne tous les jours dans mes poches.

Silence.

— Tu as raison sur presque tout. Je suis inconscient Kira, et je ne sais même pas comment j'ai encore le courage d'être devant toi aujourd'hui.

Dans mon lit, je me donne à lui. Incapable de ne pas l'aimer. Je retire mon mouflon de mon avant-bras. Ses baisers parcourent les os saillants de mes hanches et parviennent jusqu'à mes mamelons, fermes comme la chair d'un lychee. Il continue l'exploration de mon corps depuis longtemps intouché et lorsqu'il tombe sur les quatre sillons safranés sur mon avant-bras, il les baise un à un, comme pour en atténuer les rougeurs. Comme il faisait avec sa fille lorsqu'elle se blessait étant enfant.

— Arrête de jouer avec moi Tom. Mes émotions ne sont pas des jouets.

— Kira, toi et moi, on joue à l'infini. Il n'y a pas de règles, pas de limites, tout est possible.

— C'est ce que ça signifie pour toi? J'ai plutôt l'impression que c'est toi qui décides des limites et que souvent, rien n'est possible.

Il garde le silence. J'en ai assez de son discours nébuleux, de ses minauderies. J'aimerais m'en protéger sans en avoir la force. Il me rassure et me dit ce que j'ai envie d'entendre.

— Appelle-moi n'importe quand, autant que tu veux. Il faut prendre notre temps cette fois-ci.

À 5 h, il part.

— Faut que j'aille dormir Kira.

— Pourquoi tu ne restes pas ici?

— Trop d'émotion, j'ai besoin de temps.

38

Je ne dors pas. Si je me dépêche, je pourrai faire le cours de spinning de 7h à mon centre d'entraînement. L'obscurité n'est altérée que par une lueur pourpre qui menace d'englober l'horizon, comme un manteau de magma brûlant. La marche jusqu'au YMCA me paraît interminable. Je ressasse les événements de cette nuit. J'ai déjà peur de regretter de m'être laissée retomber pour lui, dans un vide dont je ne ressortirai pas indemne.

Le centre de conditionnement physique est presque désert. Mon avance est inutile, seulement quatre autres personnes participent au cours. J'ai oublié de mettre le manchon qui camoufle mes coupures et deux cyclistes féminines me dévisagent, armées de regards hargneux. Pourquoi m'en veulent-elles ? Pourquoi transforment-elles un sentiment qui devrait être compatissant en colère face à mon autodestruction ?

Le cours finit et, avec ma sueur, j'ai l'impression d'avoir éjecté ainsi un peu de moi-même dans le néant. Ce n'est pas apaisant. J'ai épuisé toutes les forces qui me restaient. Dans la douche, je gratte les galles de mes meurtrissures afin qu'elles cicatrisent avec plus de gravité. Les résidus de sang séché tombent sur les dalles du plancher avant d'aller rejoindre le drain, qui les fait disparaître comme des morceaux d'aliments restés sur les parois d'un évier.

À l'appartement, Nini, la tête dans le cul, clapote avec une cuillère dans un bol de soupe poulet et nouilles.

— Pourquoi t'es partie avant la fin du show hier ?

Je lui raconte comment la soirée s'est déroulée.

— Bebi…

Elle prend son temps.

— J'ai vu Tom à une fête après qu'il soit venu ici, lorsqu'il t'a quittée à l'aube.

Je déglutis avec difficulté tout en sentant la honte monter en moi. Face à Nini, j'ai honte d'être ce que je suis et d'avoir les envies que j'ai. Les efforts que j'ai déployés pour effacer Tom de ma tête ont été déclenchés par le mépris de mon amie.

Elle poursuit :

— Il y avait un party après le spectacle. Quand j'ai vu Tom arriver, je suis allée le voir pour lui demander pourquoi il n'était pas resté avec toi, car je savais que vous étiez partis ensemble. Je me mêle de ce qui ne me regarde pas mais ça me fait de la peine te voir comme ça depuis deux mois, je ne pouvais pas rester là sans rien dire. J'ai dit à Tom d'arrêter de te poursuivre s'il n'a pas l'intention d'aller plus loin avec toi. Tu sais ce qu'il m'a répondu?

— Quoi?

— Il m'a dit qu'il avait remarqué ce soir que tu l'aimais. Je lui ai dit qu'il était câlissement temps. Il a ajouté que je n'avais pas à me foutre le nez dans ce qui ne me regarde pas. Je considère que ça me regarde car c'est moi après qui dois te ramasser.

Je ne comprends pas pourquoi Tom m'a menti en me disant qu'il allait se coucher alors qu'il avait l'intention de se rendre à une fête. Je n'ai plus la force d'ignorer les bavures de Tom, même les plus bénignes. Hier soir, j'avais besoin de lui. J'ai envie de creuser plus profond dans mes sillons de bras, pour voir si je suis capable de ressentir encore quelque chose. Quelque chose d'autre.

Je fais la crêpe somnolente sur le futon pour le restant de la journée en écoutant le DVD du dernier spectacle de Madonna. Nini m'accompagne dans mes activités végétatives, pour des raisons différentes. Lorsque mon cellulaire sonne sur la table basse jouxtant le futon, je pointe mon téléphone à Nini.

— Peux-tu le prendre pour moi?

Elle capte les irrégularités de mon avant-bras qui pointe le téléphone et ne me donne pas la chance de répondre à l'appel. Ses yeux injectés de sang me bombardent de questions. Sont-elles si terribles que ça, ces égratignures qu'une adolescente trop romantique aurait mieux réussies que moi?

— Mais qu'est-ce que t'as fait Kira?

Pour toute réponse, je lui souris. Je ne veux pas qu'elle dramatise la situation. Elle interprète mon sourire comme une marque de pure folie. Elle roule sur moi et me prend dans ses bras. Je la repousse.

— J'ai pas l'intention de mourir. T'as pas à t'inquiéter.

J'ai froid, j'ai mal au cœur, je voudrais pouvoir accepter le réconfort de Nini mais je suis trop éloignée de la réalité. Rien ne peut me ramener à elle.

La sonnerie de mon téléphone résonne à nouveau dans le loft gris. Un grésillement lointain provient des fenêtres, le verglas qui s'écrase avec véhémence sur les vitres embuées. Toute cette scène a des allures d'apocalypse, à un degré modéré. Je réponds au téléphone, glaciale, perdue dans l'abysse de mon délire.

C'est Tom, il veut savoir comment je vais et aussi, si je n'ai pas trouvé l'antenne de son cellulaire quelque part sur les cinq cents mètres carrés de mon appartement. Je fais mine de la chercher pendant qu'il me demande à nouveau si je vais bien. Quelque chose doit parvenir à l'alarmer dans mon timbre de voix monocorde.

— Non, je ne vais pas bien.

— Est-ce que tu regrettes qu'on ait passé la soirée ensemble ?

— Je ne sais pas Tom, je suis fatiguée. Je ne sais pas quoi dire. Je ne sais même pas pourquoi tu me demandes comment je vais car tu as l'air de t'en sacrer la plupart du temps.

Silence. J'espère qu'il se sent coupable.

— Je te rappelle bientôt Kira, OK ?

— Ouais, c'est ça, rappelle-moi.

Je n'ai pas trouvé son antenne. C'est le dernier de mes soucis. Pour moi, ce n'est pas le printemps, c'est juste une variante sur le thème de la tristesse, avec la pluie en option. Pleut-il davantage dans le Mile-End ? J'en ai l'impression. Il devient inutile de dire ma douleur. Tom ne pourra pas comprendre. Il n'a pas compris à quel point je l'aimais, il ne sait pas à quel point son absence est horrible. J'ai tendance à croire que je suis la seule à vivre une émotion aussi forte. Tout le monde se sort de crises plus facilement que moi. Mon amour est plus fort, ma douleur est plus grande. C'est mathématique.

Je trouve dans le matériel de bureau à Nini un nouvel outil pour procéder à mes séances de mutilation. Lames d'exacto dans un contenant en plastique sale. J'en stérilise une au Baxedin. J'appuie sur la lamelle de métal et le sang jaillit enfin comme je me l'étais imaginé. La douleur est perçante. Je la préfère à celle que je ressens lorsque je pense à Tom.

39

DEPUIS QUE NINI a parlé avec Tom, il s'implique. J'ignore s'il veut par sa présence m'empêcher de me mutiler. Ça serait désolant. Je préfère me dire qu'une prise de conscience s'est effectuée dans sa tête folle.

Tom a commencé les répétitions du spectacle pour Toronto et il m'a invitée à partager leur espace d'entraînement, qui se situe à une heure de transport en commun de chez moi. C'est un léger désagrément. Tom et moi dînons ensemble tous les jours. Lorsqu'il ne peut pas s'absenter trop longtemps de son entraînement, il me reconduit à l'arrêt d'autobus. Sa main sèche dans la mienne me rassure. L'inégalité de ses ongles rongés au sang, la douceur de son poignet blanc. Parfois, il m'appelle alors que je suis en chemin vers chez moi pour me dire de belles paroles. Ses mots me cajolent les follicules pileux. Tom sait dans quel sens ça pointe, ces choses.

Il a dit à son ex-femme que nous nous voyions. C'est une étape non négligeable dans l'évolution de notre relation. Même s'ils ne sont plus ensemble, je crains sa prestance, son statut officiel de femme. Je ne suis qu'une bâtarde.

Les trente-six ans de Gab se fêtent chez Tom. Il me prend par la main et me guide dans ses appartements nouvellement aménagés. Distrait, il me désigne son bureau, la chambre de sa fille, la salle de séjour.

Au sein des ombrages bleutés qui rôdent dans la noirceur de l'appartement, il plaque mon corps sur un des murs fuchsia et m'embrasse. Sa langue dérive partout sur mon visage, sa salive enveloppe mes pores. Il humecte mon oreille et j'entends son souffle transpercer ma chair. Je baisse la fermeture éclair de son pantalon et glisse ma tête le long de son torse, jusqu'à ce que ma bouche entre en contact avec son membre dilaté. Nous n'avons pas l'habitude de diriger nos ébats ailleurs que dans mon lit et ce détail parvient à nous rendre surexcités, maladroits. Il agrippe ma chevelure et râle. Il attire ma tête à la sienne, nos bouches s'aimantent l'une à l'autre, pendant qu'il me guide vers un matelas de dépannage éventré sur le plancher de la chambre de sa fille.

Lorsqu'il est sur le point de venir, j'ai envie de le supplier de déverser en moi son liquide dilué à force de trop baiser. Je reste coite et me félicite de l'avoir fait, pendant que sur mon ventre coule le sperme aqueux de mon amoureux. Moites, gluants, nous rampons jusqu'à la douche pour que les fêtards qui fument sur le balcon ne puissent pas constater notre nudité. Nous découpons l'obscurité avec nos peaux laiteuses. Lorsque Tom me savonne dans la douche, j'ai encore envie de lui. Il ne reste aucune trace de ces réticences qui m'empêchaient de le voir désirable en tout temps. Les vannes sont ouvertes et je ne pourrai pas les refermer. Les cheveux mouillés, les joues rosies par le sexe, nous hésitons avant de nous mêler à la foule.

Alors que nous marchons autour de son pâté de maisons, nous croisons les voisins de Tom. Ils sont trop éloignés pour nous entendre mais Tom ajoute :

— Et moi je suis là et je me promène avec ma blonde en lui tenant la main.

Je ne sais pas à qui il parle en disant cela. Il semble s'adresser aux arbres, à leurs bourgeons, peut-être. Pas à moi. Si je suis sa blonde, il devrait m'en parler. Peut-être est-ce un moyen détourné de pointer la chose, cette nébuleuse chose qu'est notre relation. Son commentaire me ravit et je sens mon visage s'illuminer d'un halo d'allégresse pendant que nous empruntons les escaliers qui mènent à son appartement.

Nini, qui a remarqué mon absence, me prend d'assaut.

— T'étais où ?

— Tom me faisait une visite guidée de sa maison.

— Ouais, en tout cas, vous êtes partis pendant un bon moment.

Nous échangeons un clin d'œil de complicité et j'ajoute à cela un sourire de reconnaissance. Elle ne sait pas à quel point son insertion dans ma vie privée m'a aidée. J'ignore si elle est heureuse pour moi. Je la surprends souvent à condamner mon enthousiasme face à Tom. Elle porte sur elle la prudence que je devrais arborer. Elle fait bien.

40

Peut-être est-ce parce que Tom part pour trois mois à Toronto, peut-être est-ce parce que je perdrai à la fois Nini et Mel. Peu importe. Je sens que je perds le contrôle sur le déroulement des mois futurs. Tom est de plus en plus présent, il m'a même invitée à partir avec lui à Sherbrooke pour un week-end où il doit participer à un concert de musique classique en tant qu'acrobate invité, ponctuant de ses clowneries les diverses pièces jouées par des enfants prodiges.

Les relations avec son ex-femme sont tendues. Je ne connais pas les détails. Il dit qu'il règle des choses avec elle. J'ai peur que ces choses incluent des séances de sexe souvenir. Parfois, il rechigne à venir me voir.

Il part à Toronto dans quelques jours et la venue de cette date fatidique flotte dans ma tête comme un bourdon agressant que je n'ai plus la force de chasser. Les jours s'écoulent à une vitesse incontrôlable et lorsqu'arrive notre dernière soirée ensemble, j'ai peine à refouler la détresse qui mijote en moi à gros bouillons. Il m'a invitée à venir le voir mais nous n'avons pas encore prévu les dates. Il évite le sujet. Une urgence de le voir m'obsède, comme si ces moments représentaient un sursis avant une mise à mort. La mienne. Celle de notre relation. Une grenade dégoupillée.

Souvent, je pose ma tête sur sa poitrine et me concentre sur les battements de son cœur en espérant y capter un soubresaut, une irrégularité qui m'informerait sur ses sentiments. Code morse. Il y a ses doigts que je mets dans ma bouche et que je suce lorsqu'il entre en moi. Il y a ces réveils amidonnés, ces draps embaumant le sexe, nos fluides séchés. Il y a la cristallisation de ces souvenirs, de ces bribes d'humanité, de cette union bientôt détachée. Il caresse mes cheveux bouclés par l'humidité de notre amour et ne cesse de répéter qu'il se sent bien avec moi. Je me demande si cela est suffisant pour qu'il m'aime. Équations.

***

Nous allons voir un spectacle de musique au Quai des Brumes avec quelques amis. C'est une soirée comme les autres avec un groupe comme les autres, et j'essaie d'éviter cette banalité qui tache la distinction de notre amour que je ne sais plus nommer à force de ne pas savoir en quoi il consiste. Je ne suis pas présente. Les conversations sont négligeables face à mon désarroi. L'ami de Tom, celui du jour de l'An, arrive après que le spectacle a commencé. Il emprunte une chaise à la table adjacente et vient se poser à ma droite. Il prend ma tête entre ses mains de bûcheron et embrasse mon front de ses grosses lèvres humides.

— Comment tu vas ma belle Kira ?

Je hausse les épaules en regardant ailleurs pour ne pas pleurer. C'est le meilleur choix. Il dépose sa main sur mon dos voûté et commence à le frictionner. Il me sourit. Il comprend. La compassion qu'il semble ressentir me touche. Il est là, et ça m'apaise. J'aimerais le traîner avec moi tous les jours, pour les moments d'angoisse qui m'assaillent parfois. Avant de partir, il me donne son numéro de téléphone. Au cas où j'aurais besoin de lui.

Sur le chemin menant vers chez moi, Tom et moi faisons un arrêt dans un parc pour enfants, où nous montons au sommet d'une pyramide de cordes. Je grelotte. Mon corps réagit mal à notre éloignement prochain. Je suis dépendante d'une drogue appelée Tom. Les pieds entremêlés dans les cordes rouges de la pyramide, il me dit qu'il aimerait avoir d'autres enfants un jour. J'ignore à qui cette phrase est destinée. Je n'ai jamais voulu être mère. J'ai peur de devenir ça, et puis rien d'autre.

— Tom, qu'est-ce tu veux? Avec moi, je veux dire.

Pendant plusieurs minutes, il baragouine des phrases inintelligibles que j'écoute avec un scepticisme montant.

— Ce n'est pas si difficile que ça Tom, dis-moi juste ce que tu veux de moi.

— Tu n'es pas mieux Kira. Sais-tu ce que tu veux, toi ?

— Oui, je le sais. Je veux être avec toi. Je m'en fous si ce n'est pas conventionnel ou si ce n'est pas parfait. Je veux être avec toi.

Il se redresse, sa tête entre ses mains affiche un air traumatisé.

— Je ne peux pas croire que tu sois si surpris, ça fait longtemps que tu sais que je t'aime.

— Je ne peux pas t'aimer comme tu voudrais que je le fasse. Je ne suis pas bon pour ça. J'ai besoin de faire du ménage dans ma vie. J'ai besoin de temps. Je ne peux pas te garantir mon amour. Il faut que tu apprennes à vivre sans moi quelque temps. Peux-tu faire ça ?

— Je ne sais pas. Est-ce que ça veut dire qu'on ne se verra plus ?

— Au moins d'ici mon retour. Après, on verra. Mais je ne peux pas te le promettre. Je ne suis pas sûr que je puisse être avec quelqu'un. Je ne suis pas fait pour ça. Je ne sais pas comment aimer.

Je lui demande combien de temps il lui faut, sachant bien que cette question n'a aucune logique apparente.

J'ignore ce qu'il essaie de me dire. Il est flou. Dans ma tête brouillée, ses incertitudes laissent place à des possibilités, à de l'espoir. J'ai l'impression qu'il me manque certaines facultés de compréhension. Comment une personne ne peut-elle pas être conçue pour aimer ? Comment se peut-il qu'il existe des hommes satisfaits d'amours périssables ?

Tom part à l'aube, il prend son avion dans quelques heures. Combien de temps ça prend, faire le ménage dans sa vie ?

41

JE COMPTE. Je compte le nombre de repas que je ne prends plus. Je compte les jours qui s'écoulent sans cassure, sans interruption, en vagues cycliques. Je compte le nombre de gorgées d'eau qui entrent dans ma bouche, j'ai toujours fait ça. Je compte sur ma solitude pour réparer ma tête, qui n'arrête pas de compter les choses inutiles. Je ne compte plus sur rien. Je ne compte pour personne. Même pas pour moi. Tom m'a laissée tomber à force de ne pas me vouloir.

Depuis qu'il est disparu de ma vie, je ne m'aime plus. Il me permettait d'atteindre mon propre dieu. Une phrase fait écho dans ma tête et se met à vriller entre mes deux oreilles: «Je t'aime Tom.» Cette phrase. Comme une musique populaire qui s'accroche à moi, trame sonore de mon existence presque fictive.

Il est la partie incontrôlable de mon être, ma folie, mon état de grâce ; l'inexplicable dans mon raisonnement. Je cherche toujours ce qui m'attire en lui, je cherche pourquoi il me donne autant sans se donner à moi. J'ai peur de devenir sénile, stérile, trop engluée dans ma peine pour voir ma déchéance. Je compte les livres que je perds. Je disparais tous les jours un peu plus. Que deviennent ces parties qui s'échappent de moi ?

Il m'a appelée, on s'est parlé pendant quelques minutes. Il me dit qu'il ne va pas bien, qu'il est content d'entendre ma voix. Je ne peux rien pour lui, rien pour moi. Il me dit qu'il me rappellera.

Le temps passe et en moi, rien ne se passe. Toutes les peines d'amour sont pareilles, il n'y a que les gens qui sont différents. Je ne suis pas spéciale. Je poursuis les clichés, je sombre dans le banal, l'homogénéité.

Il m'a rappelée, je ne sais pas pourquoi. Nous ne parlons pas de nous, que de choses qui ne nous concernent pas. Il me manque toujours autant. En raccrochant, j'efface son numéro de téléphone de mon cellulaire, comme s'il s'agissait d'un téléphone à fil et à gobelets et qu'il me suffisait de couper la ficelle pour ne plus sentir son contact. Il y a des démangeaisons dans ma tête, des insectes qui grouillent dans mes organes. Ils me dévorent la chair avec leurs mâchoires microscopiques, ce genre de choses. Il y a cette impression de vide et de saturation à la fois. Mon sexe est vide de Tom, ma tête est saturée de son image. Quand je parviens à ne pas y penser pour quelques minutes, je me félicite en me permettant de ressasser les beaux moments. Il n'y en a pas beaucoup. C'est un film lent, dément, en boucle.

Tom m'a oubliée, il ne m'appelle plus. Quand j'ai su qu'il ne m'aimait pas, j'ai crié dans ma tête. Depuis, je n'ai pas cessé. C'est comme un soupir silencieux qui me darde la trachée, comme une giclée de venin qui noie ma gorge. J'aurais envie que tout le monde se sente comme moi, ne pas être seule dans ce mutisme qui m'étrangle. Personne ne peut comprendre. On est toujours seul dans notre désordre et notre agonie. On n'a pas assez de notre propre bonheur, il faut grappiller l'infime part des autres pour compléter le nôtre. Une collection qu'on conserve jalousement dans le tiroir de sa table de chevet et qu'on compile, recompte, scrute avec avarice.

Parfois, j'aurais envie de son réconfort. J'aimerais qu'il soit là dans ma tête pour entendre les choses que je me dis sur lui, comme s'il s'agissait de quelqu'un d'autre : les horreurs comme les éloges qui sont suspendus à ma luette comme des trapézistes endurants. Mais il n'est pas là. Ma douleur est diffuse, ses exhalations restent accrochées à mes membres. Ils ne se débattent pas pour les chasser. Je pourrais prendre une centaine de douches, j'aurais encore sous mes narines cette odeur de cadavre cramponnée à mes poils, ce *nous* avorté. Suis-je encore dans sa tête ? Il me dirait que oui, mais je ne le croirais pas. J'ai arrêté d'y être au moment où je l'ai aimé.

Un jour, je décide d'appeler l'ami de Tom. Il ne répond pas à ma première tentative. Ni à la deuxième. Ni à la troisième. Peut-être n'existe-t-il pas. Le soir, dans mon lit, je me tourne et me retourne pour essayer d'échapper au sommeil. Je rêve trop souvent à Tom. Au milieu d'une circonvolution de mon corps, mon téléphone sonne :

— Hey Kira, c'est Jon. Je te dérange ?

— Non, je ne dormais pas.

— Ah… Écoute… Es-tu disponible demain ? J'aimerais t'emmener quelque part.

— Oui, si tu veux.

— OK, je serai chez toi à 18 h.

— Parfait. Bonne nuit Jon.

— Toi aussi.

À 17 h le lendemain, je sors dehors et j'attends. Ça me fait quelque chose à faire. Il arrive en moto, une Ducati noire. C'est une belle vision : un homme en chandail à capuchon sur un engin aussi puissant. Mon cœur fait un petit hoquet. Signe de vie. J'embarque sur son bolide en laissant un espace entre Jon et moi. Avec son bras, il me colle à lui. C'est plus sécuritaire. Nous roulons en direction du mont Royal. Je n'y suis jamais allée. Après avoir stationné sa moto, il me guide vers un petit sentier. Nous bifurquons vers la gauche, à l'extérieur du chemin. Nous arrivons à un gros rocher où la vue est dégagée. Le smog du mois d'août brouille le panorama. Jon m'invite à prendre place à ses côtés sur le bord d'une falaise abrupte. Il sort de son petit sac à dos une bouteille de vin rosé et l'ouvre avec son canif avant de me la tendre. Je bois une gorgée qui me fait plisser des yeux, ma bouche n'est plus habituée à ingérer quoi que ce soit. Nous scrutons l'horizon en silence. Ça me fait du bien d'être avec quelqu'un. Quelqu'un d'autre que Tom, ou son fantôme.

— Merci de m'avoir emmenée ici.

Il me sourit. Je me mets à pleurer. C'est naturel.

— Oh ! Kira. Il faut que tu oublies cette histoire. Tom tripe sur sa femme. Il l'idéalise. Tu vas toujours te faire du mal. Il t'aime probablement, mais pas assez.

— Comment peux-tu en être certain ?

— Ça fait longtemps que je connais Tom.

Il me serre dans ses bras.

— C'est fini maintenant. Ça peut juste aller mieux.

Dans le boisé, il me pousse tranquillement contre un arbre et m'offre ses lèvres épaisses en empoignant mes fesses. J'essaie de ne pas m'imaginer que c'est Tom. J'aurais envie de lui si ma douleur n'engourdissait pas tous mes sens. Son sexe contre mon ventre est déjà dur. Après avoir mordu ma lèvre avec son désir, il s'excuse et me guide vers le sentier comme pour me sauver de la menace qu'il incarne.

Lorsqu'il me fait débarquer de sa moto devant mon immeuble, je lui demande s'il veut dormir chez moi. Il refuse. Il dit que ce n'est pas bien. Je retourne docilement à ma peine, à mon bourreau, comme si cet épisode n'avait jamais eu lieu. Syndrome de Stockholm.

Quelques heures plus tard, en plein milieu de la nuit, il me rappelle :

— Je m'en viens chez toi, je ne suis pas capable de dormir.

En arrivant, il dépose son casque de moto sur ma table et me prend par la main. Je le conduis jusqu'à ma chambre, jusque dans mon lit.

— Kira, je ne vais pas te faire l'amour. Tu n'as pas besoin de ça. On va juste se coller.

Nous nous endormons sans parler. C'est un bon ami.

Quelques minutes plus tard, son sexe enfle entre mes fesses.

— Je suis désolé, tu es tellement belle.

Il se met à pleurer. Ses larmes lubrifient ma nuque. Gêné, il y dépose des baisers pour ravaler l'humidité de son chagrin.

Le lendemain, j'appelle Nini pour lui dire que je vais la visiter. Elle me manque. Je pars samedi soir.

42

En descendant de l'autobus Greyhound, je n'ai pas de plan précis. Nous sommes le 26 août. Ça fait un an que Tom est dans ma vie. Il est 7 h 24 et comme je ne veux pas réveiller Nini à une heure absurde le lendemain d'une journée de deux spectacles, je décide de marcher jusqu'à chez elle. Les rues défilent devant moi comme un compte à rebours. J'ai le sentiment de me piéger dans une impasse dont je ne sortirai pas indemne. Je flotte dans un état de grâce malsain, pataugeant dans le sirop liquoreux de ma propre folie.

Les rues sont presque désertes en ce dimanche matin. Je croise d'innombrables *deli*, qui se vantent tous de posséder un guichet ATM, élément obligatoire. Certains d'entre eux vendent également des fleurs, la plupart sont défraîchies et fanées. Elles sont déjà mortes ou ne font que progresser vers leur décrépitude inévitable. Ce sont des vieillardes déçues qui constatent sur leurs enveloppes charnelles l'annonce d'un décès complet. Choses éphémères. Sur Queen Street, j'entre dans un de ces *deli* afin de retirer l'argent nécessaire pour prendre un taxi. Je suis lasse de marcher et j'ai hâte de voir mes amies. Le commis me zieute avec circonspection, il a peur que je lui dérobe un de ses articles bordés de plusieurs millimètres de poussière noire.

La porte s'ouvre sur un appartement baigné d'obscurité qui embaume le sommeil. Un homme est étendu en étoile sur un futon qui trône au milieu de la minuscule cuisine. Je réveille Nini avec mon arrivée. Je m'excuse auprès d'elle, gênée de l'avoir dérangée. Elle me fait signe de la suivre et aussitôt arrivée dans sa chambre, elle roule sur son lit gardé au frais par un système d'air conditionné bruyant. J'enlève mon pantalon cigarette noir qui colle sur mes jambes. Chaleur torride des étés torontois. Je me glisse à ses côtés, trop fébrile pour fermer l'œil.

— Faut que j'me lève dans quarante minutes. On a un photoshoot.

Je me demande ce que je vais faire de ma journée si mes deux amies sont requises sur le site du spectacle, lieu que je préférerais éviter afin de ne pas rencontrer l'homme que j'essaie d'oublier. Je force mon esprit à prendre du repos.

Au moment où je me sens décoller, la porte de la chambre de Nini s'ouvre.

— Ma petite chérie, il est temps de se lever ! Bienvenue à Toronto Kira.

Un grognement sourd provient de la masse à mes côtés et j'en conclus qu'elle n'est pas enchantée à l'idée d'écourter sa nuit de sommeil de la sorte. Je me lève en même temps qu'elle et je me rends à la cuisine, où j'embrasse Mel. Nous nous asseyons sur les chaises pliantes qui remplissent la totalité de l'espace disponible dans cette pièce. Mel savoure un bol de céréales biologiques à la cannelle et m'en vante les vertus en chuchotant pour ne pas réveiller l'homme du futon. Une goutte de lait dégouline sur son menton. Nous agissons comme si nous n'avions rien à nous apprendre de cohérent. J'ai peur que notre complicité soit partie pour de bon. J'ai l'impression de n'avoir rien à dire, de n'être qu'une coquille vide.

— Kira, je me suis engueulée avec Tom il y a quelques jours, après un spectacle.

Elle fait une pause.

— As-tu vraiment envie d'entendre ce que j'ai à te dire ?

J'opine en fronçant les sourcils. J'ai peur que les choses passées viennent envahir mon présent déjà fragile, le bousiller.

— J'ai demandé à Tom d'être clair avec toi, peu importe ce qu'il fait. Il est devenu fou et m'a agrippée à la gorge. Nini est venue nous séparer. Je pense qu'il avait pris de la coke.

Je remercie Mel d'avoir voulu me défendre et ignore le reste de l'histoire. Elle est déçue. Je ne peux pas la blâmer, n'importe qui dans sa situation aurait déjà lâché prise sur le fait de me sauver dans ma descente pathétique.

— Qu'est-ce que tu veux faire aujourd'hui ?

— On pourrait manger ensemble après votre session de photos.

— Ouais, cool. Mon chum est dans ma chambre et le gars là, c'est mon frère. Vous pouvez faire de quoi ensemble d'ici là.

Nini et Mel partent en traînant le pas, découragées de devoir faire du travail supplémentaire non rémunéré à cette heure.

Je retourne dans la chambre de Nini, j'ouvre mon sac et y plonge ma main afin de récupérer les dizaines de lettres que j'ai ramassées pendant son absence. Je les dépose sur sa table de nuit juste à côté de son ordinateur portable, comme de précieux cadeaux que j'aurais emballés moi-même. Je m'allonge pour dormir mais je suis nerveuse. Frustrée de ne pas pouvoir donner le repos que mon corps exige mais que ma tête ne semble pas vouloir m'octroyer, je me relève. Le dos accoté sur le mur, je continue la lecture de mon roman assommant. Tous les romans le deviennent lorsqu'on a mal.

Après quelques minutes, j'aperçois par l'interstice de la porte le copain de Mel qui se dirige vers la salle de bain. Je le salue.

— Hey Kira, on va déjeuner ?

Nous nous dirigeons vers la rue Bloor. Il fait gris, le ciel menace de déverser son fiel à tout instant sur nos têtes. Nous allons chercher des smooties au café du coin.

Paille en bouche, nous flânons au High Park. Des enfants motivés font le tour de la fontaine en rollerblades. Une petite fille d'environ trois ans pédale sur son tricycle, la mine concentrée, et s'applique à suivre l'effervescence des gamins expérimentés. Un homme de race noire nous aborde en parlant des injustices concernant les riches capitalistes et le reste de la planète. Il émane de lui une odeur de sueur à la texture gluante qui semble vouloir se cramponner à notre épiderme, pour s'insérer dans nos pores dilatés. Il nous invite à appuyer sa cause en achetant un des journaux qu'il propose. Je prétends ne pas parler anglais et il s'éloigne, continuant sa propagande louable dont tout le monde se moque pourtant. La chaleur ne prête guère à l'ouverture d'esprit, à moins que ce soit cette puanteur qui plane autour de lui.

Dans l'appartement, le frère de Mel ramasse ses effets personnels et nous souhaite une bonne journée, en pestant contre le trajet de train qui l'attend et contre son retour au travail prévu pour le lendemain. Je sympathise faussement. Je n'ai pas d'émotion rattachée à cette situation. Le copain de Mel et moi décidons de marcher jusqu'au Royal Alexandra Theatre. Nous déambulons au hasard dans les rues, croisant le quartier coréen, la rue Queen. Mon cœur palpite et malgré notre conversation intéressante, ma concentration se dilue. Mon esprit s'éparpille comme une flaque d'eau sale, nauséabonde.

En face du théâtre, la rue a été bloquée par des barrières orangées, fluorescentes. J'aperçois une énorme grue à laquelle est attaché l'appareil de cirque de mes amies. Un jeune homme en pantalon d'armée est couché sur l'asphalte boueux, prenant des photos de Nini et Mel, toutes deux costumées et maquillées, tremblantes de fatigue à force de garder les poses acrobatiques trop longtemps. Elles seront courbaturées en se réveillant demain. Elles sont loin d'être libérées et je me trouve un endroit reculé afin de les regarder en paix. Être camouflée si Tom arrive.

Quelques rayons de soleil viennent me fouetter le visage. La température ambiante augmente de plusieurs degrés en quelques secondes. Mes amies sont libérées et Mel me demande si j'ai envie d'aller manger. En cheminant vers le restaurant, j'aperçois une touffe de cheveux hirsutes et je sais qu'elle appartient à la tête de Tom. Je détourne le regard. Son nom résonne dans ma tête en un écho maléfique.

— Alors comme ça, tu débarques sans t'annoncer?

Tom.

J'acquiesce en silence et il me prend dans ses bras. Nini, Mel et son copain me font des signes au loin. Ils me laissent seule. Quand je le repousse, considérant que notre accolade s'est éternisée, il me regarde.

— Man, Kira, j'avais oublié à quel point tu es belle.

Il me contourne alors pour m'enlacer par-derrière. Je sens son nez qui frôle les poils fluets de ma nuque, son souffle qui réchauffe la commissure de mes cheveux sombres.

— Tu restes à Toronto combien de temps?

— Jusqu'à mercredi. Veux-tu aller prendre un café ?

Il hésite puis accepte, oubliant ses obligations le temps de me courtiser à nouveau. Ça ne devrait pas être long.

Au café, alors que nous attendons nos *latte*, le téléphone de Tom sonne. À son intonation lorsqu'il répond, je sais qu'il parle à son ex-femme. Je décide d'aller faire un tour sur le balcon de l'établissement, pour lui laisser un peu d'intimité. Après quelque temps, la serveuse me fait un signe. Je m'empresse d'aller chercher ma commande au comptoir. Je dépose le *latte* de Tom devant lui et je m'assois. Mon attente a des limites. Il me jette un coup d'œil en disant à son interlocutrice :

— Euh, on m'appelle pour terminer les photos. Il faut que je te laisse.

S'il est capable de mentir de la sorte à son ex-femme, rien ne l'empêche de faire la même chose avec moi. Nous nous regardons un moment, espérant trouver quelque chose à dire.

— J'aimerais pouvoir te dire que je ne pense plus à toi, que je vais bien, et que je me tape de nouveaux mecs toutes les semaines... Mais ce n'est pas le cas.

— J'aimerais aussi pouvoir te dire ça mais ce serait faux. Je pense encore beaucoup à toi.

L'étriper, sortir ses entrailles de son ventre et les découper une à une devant ses yeux.

— J'ai effacé ton numéro de mon cell.

Il est étonné, blessé.

— Tu m'en veux à ce point-là ?

— Ce n'est pas à toi que j'en veux. C'est à la vie, à notre situation, à nous deux. J'en veux à la terre entière.

Il approche sa main de la mienne mais il s'arrête en chemin et redépose son bras sur la table. Il me manipule mais je suis incapable de me résister à moi-même. Je voudrais le caresser, l'embrasser, le manger ; déchiqueter son cou, la peau fragile de son ventre tendu.

— Ça m'a fait un choc de te voir aujourd'hui mais je suis content… que tu sois là. Je ne comprends pas que tu aies effacé mon numéro de téléphone. Es-tu certaine de ne pas vouloir l'avoir à nouveau ? Argghhhh ! Kira !

Il contourne la petite table en inox pour m'enserrer dans ses bras et je crois vomir sous la force qu'il déploie. Nous restons tous deux perdus dans un silence chargé de non-dits.

43

Après le spectacle de Tom, Mel et Nini, nous sommes invités par le producteur dans un bar underground. Mes amies déclinent l'invitation. Elles sont exténuées par la session de photographies du matin.

En sortant du taxi, nous avisons la façade de l'immeuble. Aucune affiche n'indique la présence d'un bar à cet endroit. Deux géants sont postés en face d'une porte obsolète. On nous pose diverses questions et certains d'entre nous sont fouillés. Plusieurs dizaines de minutes plus tard, on nous achemine vers une table entourée de fêtards. Sur une scène de taille modeste, un homme avance, portant un plastron agrémenté de faux seins. Ses rastas blonds sont entremêlés de morceaux de fourrures, lesquels se retrouvent aussi en grande quantité sur un pagne qui cache mal son sexe. Il plonge sa main sous son pagne et en ressort un condom usagé rempli d'une substance visqueuse qu'il déverse à même la scène. Je crois entendre le liquide atterrir sur le sol. On lui apporte une bouteille de whisky qu'il rentre dans son anus avant de faire un doigt d'honneur aux spectateurs qui ne semblent pas affectés par ce dont ils sont témoins.

On nous apporte un plateau où figurent des pichets contenant plusieurs alcools et jus. Je ne me sers qu'une minime quantité d'alcool, que je dilue avec du Redbull. Sur la scène, deux sœurs jumelles nues fument des cigarettes en se lichant à tour de rôle. Je suis révulsée par cette profusion d'obscénités et je regarde autour de moi, cherchant un allié dans mon dégoût. Personne ne semble choqué par cette scène incestueuse. Les hommes ont la bouche grande ouverte et je ne serais pas surprise d'en voir tomber un filet de bave équivoque.

Après mon deuxième verre, je suis étourdie. Mes yeux pivotent dans toutes les directions sans que j'aie le contrôle sur leurs mouvements aléatoires.

— Est-ce que tu te sens bizarre?

Tom pense que quelqu'un a ajouté de la drogue dans nos boissons. Il a peut-être raison. J'ai l'impression d'avoir ingéré une trop grande quantité d'ecstasy, mélangée à du GHB. Mes mouvements sont mous et laissent dans l'espace des traînées de couleur. Je m'agrippe à Tom. Ses baisers me réconfortent pendant qu'on nous amène dans une section VIP. Quelque chose a pris le contrôle de mon corps et je ne suis pas certaine d'apprécier le fait d'avoir été droguée à mon insu.

Ma tête tourne, j'embrasse Tom. Il part, je le cherche. Je vais aux toilettes, je retrouve Tom et l'embrasse à nouveau. Nos visages fondent l'un dans l'autre sous l'effet d'une fusion thermique. Mes mâchoires claquent, ma bouche est sèche et mes yeux se révulsent. J'ai peur. Je me sens ballottée. Tom en face de moi, ses mains serrent mes bras avec conviction. Un peu trop de conviction.

— Viens, on va rentrer. J'ai envie d'être seul avec toi.

Nous pénétrons en titubant dans son appartement, essoufflés par l'ascension à pied des huit étages. Il a affiché sur le miroir qui fait face au lit une photo agrandie de sa fille et de sa femme. Une taie d'oreiller remplie de linge provenant de la buanderie gît sur son lit en pagaille et il s'empresse de l'expulser hors de notre terrain de jeu. Nous nous embrassons. Ma seule envie est d'aller prendre une douche. Je veux me débarrasser à l'avance de la souillure dont je m'apprête à m'enduire toute entière.

Il me suit jusqu'à la salle de bain où je constate les dégâts d'une habitation masculine de plus de deux mois. Le fond de la douche, d'environ un mètre carré, est cerné d'une moisissure noire, ne laissant que quelques centimètres propres où poser les pieds. Sur le plancher en céramique gisent quelques serviettes de bain tachées d'une substance noire nauséabonde. Je n'ose pas regarder la cuvette de toilette de peur d'y découvrir un élevage de microbes mutants. J'ignore l'allure de l'endroit. J'ai besoin de me doucher.

Lorsque nous sommes de retour dans sa chambre, Tom me soulève et me propulse sur son lit. Il s'assoit sur mon corps écartelé en me tenant les poignets pour m'empêcher de bouger. Une pluie battante bombarde la fenêtre de sa chambre vétuste. Quelques grêlons atterrissent en claquant sur la tôle argentée du toit voisin, parsemé de feuilles humides, mortes. La distance entre les deux immeubles est minime. À peine un demi-mètre les sépare.

— Avant, tu ne voulais jamais que je sois sur toi, tu disais que tu étouffais.

— Avant, je ne t'aimais pas. C'était différent.

Reste sur moi, reste sur moi, étouffe-moi, fonds en moi.

— Tu veux que je te dise que je t'aime Kira ? Je t'aime, je t'aime, je t'aime. Voilà !

Je me mets à pleurer.

— Écoute, si tu veux, on ouvre la fenêtre et toi et moi on saute en bas, on meurt ensemble.

— Quoi ? Tu dis n'importe quoi. Tu es prêt à mourir avec moi mais tu ne veux pas vivre quelque chose avec moi ?

— Ce que je vis avec toi est la plus belle chose de ma vie. Si tu savais… si tu savais… Je suis tellement heureux de t'avoir, et tellement malheureux à la fois. Je ne peux rien te promettre, je ne sais pas pourquoi.

— J'ai l'impression de disparaître à tes yeux lorsque je ne suis pas ton présent actuel et je ne crois pas que tu puisses comprendre ce que ça fait, de s'annuler ainsi.

Il embrasse chacune des larmes qui déferlent sur mes joues comme des coulisses de lave incandescente. Il déshabille mon corps aboulique et me fait l'amour. Je me laisse faire, trop épuisée et tordue pour l'en empêcher. Une partie de moi a envie de lui et une autre est repoussée par son acte. Sa bouche racornie près de mon oreille me dit que tout ira bien.

Je me réveille le lendemain avec l'impression qu'on m'a coulé du mercure dans la tête. Tom semble comateux. La chambre est baignée d'une lumière aveuglante. La poussière scintille comme des paillettes dans les faisceaux lumineux qui traversent la fenêtre. Je me rends à la cuisine pour me servir un verre d'eau. En chemin, je croise des mégots de joint, des bas solitaires. Je laisse tomber mon idée de me servir un verre d'eau et m'abreuve au robinet.

À mon retour dans la chambre, mon œil capte quelque chose d'irrégulier sur la surface du sol: un objet déposé, oublié à côté d'un livre de partitions. Je suis submergée alternativement par la surprise, la honte, le dégoût, l'incompréhension, l'effondrement. Un condom usagé traîne sur le sol et j'ai la certitude que cet objet n'a pas fait partie de nos ébats. Je nous revois, la nuit précédente, alors que je l'enfourchais:

— Tu peux venir en moi, viens en moi.

— Non, non…

Il avait relâché son jus en moi en un râle granuleux. Et moi, moi, je l'avais aimé pour cela, aimé parce que je me disais que s'il se déversait ainsi dans mon trou sans protection, c'était qu'il m'aimait assez pour tout risquer. Erreur d'équation.

En voyant cette chose encore humide, ce corps étranger, je comprends alors que Tom s'est tapé, a fourré, a baisé, a pénétré une autre fille que moi. Peut-être m'en doutais-je, mais cette preuve me semble réelle, tangible. Elle souligne en fluorescent son manque d'amour pour moi. Je voudrais passer son corps en entier sur une râpe à fromage géante, ou le faire frire dans un poêlon incandescent ; le mettre dans un sac en toile avec des dizaines de chats avant de le lancer dans la rivière. Cette option me crèverait le cœur, j'aurais trop de peine pour les chats.

Je m'éclipse pendant qu'il dort encore.

Sur le chemin vers l'appartement de Nini, je me décompose. Mes vêtements de la veille me tachent l'épiderme de leur souillure moite. Dans mes petites culottes, je crois sentir descendre les résidus de la semence de Tom n'ayant pas encore été évacués. L'humidité de mon entrejambes me rappelle à chaque pas ma propre bêtise. La chaleur accablante m'écrase la tête comme une enclume. Les regards libidineux des hommes que je croise font comme des poignards dans mon sexe, qu'ils triturent sans relâchement. J'ai l'impression de laisser sur mon chemin une trace de mon passage, non fait de cailloux ou de miettes de pain mais d'un sang épais et parsemé de caillots. Tout le monde dort chez Nini et Mel. Je m'assois sur le futon et y reste une dizaine de minutes, le regard vide comme l'infini.

Je sors une lame de rasoir. J'opte pour le ventre, je n'aurai pas d'excuses bidon à fournir. J'appuie sur la lame, j'examine ma peau qui se fend et le sang se déverser sur le papier mouchoir que je tiens plus bas. J'imbibe trois Kleenex.

Qu'est-ce qu'on fait, quand on ne sent plus rien? Quand même une lame qui glisse sur la peau mate d'un ventre ne produit plus l'émoi recherché? Je tente de retrouver dans mon abdomen les traces de joie, de courroux, de peine même, mais elles se sont évadées dans la transpiration de mes nuits agitées. Peut-être en creusant davantage. Il y a aussi cette conviction, celle qui me pousse à le faire pour qu'il voie les résultats de ses actes. Sans cela, il ne pourrait pas. Mais puisque Tom ne me verra pas nue, je serai la seule à m'apercevoir de ces résultats funestes. Il y a ces limites que je ne franchirai jamais, mais qui me défient souvent. J'ai envie de foncer plus loin dans ma quête qui mène vers une prise de conscience de sa part. Je pourrais avaler les ibuprofènes qui traînent sur mon bureau bleu, juste assez pour simuler, pas trop, pour ne pas mourir. J'irais m'entraîner avec Gab, je tomberais dans ses bras avec de l'écume blanchâtre qui ferait comme une dentelle sur le contour de mes lèvres que Tom a embrassées, torturées. Usées. À l'hôpital, il viendrait me voir. Je pourrais soulever ma jaquette délavée pour lui montrer mes blessures. Pour le blesser en retour. Pour qu'il ressente à ma place. J'en ai assez de ressentir pour deux.

Mes coupures sont belles, rouges, vives. Comme les marques que nos parents tracent sur les murs à mesure que l'on grandit. Elles parlent du temps qui passe, du passé. Je veux laisser des traces de ma douleur, qu'elle puisse être répertoriée. Archives. Ne pas oublier que j'ai eu mal. Ne pas l'oublier, lui. L'oubli est banal, le souvenir est romantique. Mes coupures sont romantiques. De la broderie sur la blancheur de ma peau. Elles deviendront des cicatrices, des tattoos, de l'art abstrait, concret.

Je m'endors sur le futon vermeil et fais un rêve étrange.

La main de Tom sur mon ventre, ce dernier s'enfonce sur lui-même pour esquiver ce début d'attouchement interdit. Ses doigts trébuchent sur mes plaies et je baisse les yeux pour capter le mouvement au lieu de le ressentir. Ça fait trop mal, ça me fait régurgiter mon cœur. Mes plaies pissent leur viscosité sur ses doigts et moi je coule, dans ce là-bas entre mes jambes, dans ma fente qui se convulse en claquant. J'agrippe son poignet et ses doigts se raidissent sous l'impulsion. Quelques gouttes de sang descendent le long de son majeur et viennent se loger dans ses rainures plissées. J'approche ma bouche de ses doigts, les y engouffre et goûte mon propre fluide ferreux. Ma langue sur sa paume, mes papilles qui frémissent, sa main tapissée de ma salive brûlante qui se refroidit. Il me regarde sucer ces doigts qui ne semblent pas lui appartenir. Il dépose sa main huileuse sur mon visage, je suffoque sous l'étreinte. Entre ses doigts, je vois ses yeux dans lesquels il n'y a rien, juste une indifférence acerbe, une certitude de néant. Il retire sa main et elle part se tortiller sur mes draps pour essuyer ma salive. Il fait disparaître les traces de mon envie avortée. Je regarde son ventre, où pourrais-je déposer mon humiliation sauf à cet endroit ? Je m'étends sur le lit. Lorsque j'entends le froissement de ses pas sur la moquette vieillie, mes yeux relèvent sur eux leurs draps, mes paupières frémissantes. Dans cette autre fente coule trois larmes glacées.

44

IL EST 17 H. Je suis avec Nini sur son lit. Mon téléphone sonne.

C'est Tom :

— Allo Kira, comment tu vas ?

— Ça va, toi ?

— Est-ce que tu voudrais qu'on aille souper ensemble ?

— J'ai déjà soupé. Mais si tu veux, on peut juste aller se promener.

— OK. On se donne rendez-vous au CNE si tu veux ? Dans trente minutes à la fontaine, ça te va ?

— Oui, à tout de suite.

Sa voix n'est empreinte d'aucune culpabilité. Je perçois même de la ferveur, de l'excitation dans sa manière de me parler. Je l'imagine confiant, l'esprit léger, heureux d'avoir eut sa friandise avec moi la nuit dernière.

En me rendant au rendez-vous, je ne sais pas ce que j'attends. Un miracle peut-être. Une dénonciation de sa part. La réparation du mal perpétré par une déclaration d'amour grandiose. Quelque chose comme ça. J'apprends mal, croche, à l'envers. Je marche en traînant mes pieds sur le bitume. Me sentir ancrée pour ne pas chavirer. Avancer sans trop penser. Penser sans trop rêver.

À la fontaine, un groupe d'adolescents s'éclaboussent en gloussant. Cela ne semble pas avoir de fin. Leur bonheur n'est pas en cul-de-sac. Leurs vêtements sont colorés, bien assortis, comme les annonces de mode qu'on voit partout au centre-ville. Les filles ont la peau mate, leurs lèvres sont comme des morceaux de melon d'eau gorgés de liquide, leurs joues rougies par l'effort témoignent de leur santé. Je prends place sur un des bancs à proximité, pour aspirer cette joie presque factice. J'attends.

J'attends.

Au bout d'une heure les adolescents quittent la fontaine et emportent leurs pétillements avec eux. Seules les traînées humides sur les dalles de béton prouvent qu'ils ont existé.

J'attends.

Quelque temps plus tard je crois apercevoir Tom qui tient la main d'une jeune fille qui me ressemble. Mais je me trompe, ce n'est pas lui, ce n'est pas moi.

Je retourne chez Nini et Mel. J'invente une histoire qui inclut un dénouement plausible autour d'un *latte*. Quelque chose de modeste. Une promesse d'amitié sans amertume.

Vers minuit, j'ai toujours mon téléphone en main, espérant un appel, une excuse légitime. Ma main ne veut pas le quitter. Spasmes autour du petit appareil. Je l'emprisonne dans une prison d'os et de chair. Je ne comprends pas pourquoi il ne m'appelle pas pour s'excuser, pour m'avouer son amour. Croche lui aussi. Je prendrai n'importe quelle forme d'amour qu'il me donnera, pour autant qu'il me le donne. J'ai l'impression que Tom a cessé d'exister tellement il ne m'appelle pas. Je me couche encore habillée sur le futon non déplié. Après quelque temps, je sens quelque chose sur ma jambe. Nini est devant moi.

— Je vais aller dormir Bebi. Pourquoi tu ne t'installes pas mieux que ça?

— Je suis bien. Inquiète-toi pas.

Les deux jours suivants déboulent sous mes yeux dans un enchaînement de futiles occupations. J'aurais envie de partir tout de suite à Montréal mais quelque chose d'indistinct me retient sur place. J'ignore si c'est par masochisme ou par peur de retrouver ma réalité. Je ne peux me résoudre à partir. Je chaperonne Nini et Mel dans leurs tâches quotidiennes. Nous allons à la buanderie et en revenant, nous arrêtons dans les commerces susceptibles de nous refroidir avec leur système de climatisation. Nous suons des tibias. Les gouttelettes qui s'y amoncellent glissent le long de la structure osseuse. Nini ne cesse de se plaindre de la chaleur en faisant aérer le bas de sa robe. Si elle n'était pas si pudique, elle serait en sous-vêtements. Les exhalations provenant des sacs de vidanges qui jonchent le coin de la rue nous poussent à cacher notre nez sous nos mains. Les feuilles des arbres s'affaissent sous le poids de l'humidité et ma nuque émet des giclées de sueur, qui dégringolent le long de mon dos bouillonnant.

Lors d'une séance de magasinage avec Nini, je lui parle de ce qui s'est passé. Les détails concernant le condom trouvé sortent à tâtons de ma bouche asséchée. Le soulagement dont je pensais jouir en me confiant à mon amie tarde à venir. Quelque chose reste cramponné dans ma gorge, comme les relents d'ail d'une *bruschetta*.

Dans le taxi qui me conduit jusqu'à la gare d'autobus, je sens monter en moi un mélange de détresse et d'indifférence. Je n'ai plus la force d'avoir mal, toutes mes réserves de peine se sont taries. À la place, il ne me reste qu'un vague engourdissement. Le crépuscule étend sur les voitures voisines un chatoiement carmin qui me fait plisser les yeux. Arrivée à la gare, je paye ma course au chauffeur et je traîne mes sacs gonflés de vêtements sales jusqu'à la file d'attente du départ de 20 h pour Montréal. Je m'achète un bretzel trop salé et je retourne le mâchouiller au milieu de la file, là où j'ai déposé mes effets personnels.

Je m'endors aussitôt que je gagne mon siège dans l'autobus.

Dans mon demi-sommeil, je rêve que j'attends encore Tom à la fontaine. Juste au moment où j'abandonne mon poste d'attente, je sens une main se glisser dans la mienne. De petits ongles grattent ma paume, je reconnais Tom. Il me serre dans ses bras et me demande de le pardonner en pleurant. Ses larmes huileuses tombent en cascade sur mes épaules, comme des cheveux liquides. Il me serre de plus en plus fort en me suppliant de lui pardonner. Je le talonne jusqu'à chez lui. Tout semble flou, brouillé, mais clair à la fois. Dans sa chambre, il ouvre la fenêtre et s'assoit sur le cadre en bois pourri.

— Toi et moi, on saute en bas, on meurt ensemble. Tu veux bien? Si tu m'aimes, il faut que tu sautes aussi.

J'hésite, mais il me semble que c'est la chose à faire. Ça me paraît naturel. Je prends place à ses côtés. Nos flancs sont compressés, ensemble. Je n'ai pas peur, lui non plus. Je masse son dos courbé, fort, de plus en plus fort. Ses fesses glissent du rebord de la fenêtre. Ma main accompagne son dos vers le bas. Je le vois descendre. Son corps mou qui ne se débat pas. Je sais qu'il le voulait.

En bas, ses fesses moulées dans son jeans déchiré, ses bras en croix, bien placés, sa tête plantée dans une boîte de carton décomposée. Son pied gauche un peu tourné vers l'intérieur. Je me laisse rouler sur le lit et referme la fenêtre. Le bruit me fait sursauter.

Nous sommes à Berri-UQAM. Je me précipite à l'extérieur de l'autobus et expulse sur le trottoir les restes du bretzel trop salé.

Remerciements

J'AIMERAIS REMERCIER mon éditeur, Michel Vézina, pour sa confiance et sa franchise. Merci aux courageux lecteurs de la première ébauche du roman : Annie-Kim, Geneviève, Julie, Valérie. Merci à tous les autres qui ont participé de près ou de loin à l'enrichissement de l'histoire et des personnages. Merci à ma mère d'avoir éclaté de rire lorsqu'elle a lu sa propre description dans le roman.

Jonathan, merci d'avoir engendré chez moi un amour inconditionnel pour la lecture. Ce roman n'aurait peut-être pas existé sans toi.

Merci mon amour, ce roman serait encore dans le disque dur de mon ordinateur si tu n'étais pas là.

Merci à toute l'équipe de Coups de tête, pour son efficacité.

Déjà parus

1- *ÉLISE*
Michel Vézina

2007 Science-fiction 91 pages
PDF 978-2-923603-38-4 8,50 $ / 5,50 €
ePub 978-2-89671-022-5 8,50 $ / 5,50 €
Papier 978-2-923603-00-1 10,95 $ / 7 €

Dans ***Élise***, la conquête de l'espace est au centre de tous les espoirs. Élise et Jappy vivent en marge d'un monde qui a tué la dissidence. Élise a fait une connerie. Une grosse connerie. Jappy, amoureux fou, protecteur, capable de tout, risque sa vie pour elle et son salut. Il est même prêt à acquérir un statut social! C'est tout dire…

2- *LA GIFLE*
Roxanne Bouchard

2007 Roman 106 pages
PDF 978-2-923603-39-1 8,50 $ / 5,50 €
ePub 978-2-89671-023-2 8,50 $ / 5,50 €
Papier 978-2-923603-01-8 10,95 $ / 7 €

Entre sa mère, sa petite amie, sa maîtresse et la mère de la jeune mariée, la joue du peintre François Levasseur se transforme en cible de choix pour une main vengeresse. ***La gifle*** constitue une leçon de vie exquise pour tous les giflés-nés, mais surtout un mode d'emploi incontournable pour les giflantes naturelles.

3- *L'ODYSSÉE DE L'EXTASE*
Sylvain Houde

2007 Roman noir 115 pages
PDF 978-2-923603-40-7 8,50 $ / 5,50 €
ePub 978-2-89671-024-9 8,50 $ / 5,50 €
Papier 978-2-923603-02-5 10,95 $ / 7 €

Un centre culturel underground de Montréal est la cible d'un tueur en série. Un enquêteur est chargé de l'affaire. Il sera le premier surpris de se découvrir une sexualité qu'il ne s'imaginait pas. Il plongera corps et âme dans les profondeurs de l'univers extatique qui s'ouvre à lui. Et il comprendra que sa vie ne sera jamais plus la même.

4- *LA VALSE DES BÂTARDS*
Alain Ulysse Tremblay

2007 Roman 108 pages
PDF 978-2-923603-41-7 8,50 $ / 5,50 €
ePub 978-2-89671-025-6 8,50 $ / 5,50 €
Papier 978-2-923603-03-2 10,95 $ / 7 €

Ils sont six. Ils sont jeunes, pour la plupart. Six voix, un seul destin : l'abandon. Ils sont tous les six en quête d'une vie et ils se croisent, fatalement. Un roman chargé de vérité, celle qu'on préfère ne pas regarder en face, même si elle se joue là, directement sous nos yeux, tous les jours…

5- *LES TERRITOIRES DU NORD-OUEST*
Laurent Chabin

2007 Roman 81 pages
PDF 978-2-923603-42-1 8,50 $ / 5,50 €
ePub 978-2-89671-026-3 8,50 $ / 5,50 €
Papier 978-2-923603-04-9 10,95 $ / 7 €

Avant, pour distraire les travailleurs, les compagnies organisaient des combats entre des hommes et des ours. Quand ils ont commencé à manquer d'ours, ils ont pris des chiens. Après, ils ont préféré inventer un monde. Parallèle, virtuel, un monde où tout le monde peut devenir tout le monde et se battre contre n'importe qui.

6- *PRISON DE POUPÉES*
Edouard H. Bond

2008 Roman noir 122 pages
PDF 978-2-923603-43-8 8,50 $ / 5,50 €
ePub 978-2-89671-027-0 8,50 $ / 5,50 €
Papier 978-2-923603-05-6 10,95 $ / 7 €

Une pénétration à vif dans l'univers ensanglanté d'une prison pour femmes où les prisonnières tentent de survivre aux fantasmes d'une directrice et de sa meute, toutes plus animées les unes que les autres par le pire des instincts de sauvagerie. Un roman décapant, à ne pas mettre entre toutes les mains.

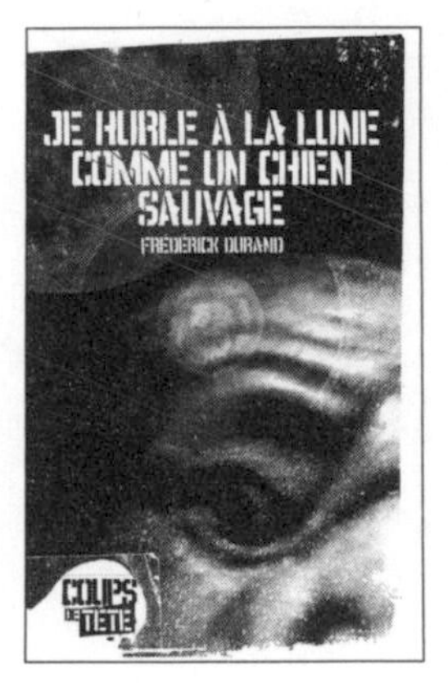

7- *JE HURLE À LA LUNE COMME UN CHIEN SAUVAGE*
Frédérick Durand

2008 Roman noir 88 pages
PDF 978-2-923603-44-5 8,50 $ / 5,50 €
ePub 978-2-89671-028-7 8,50 $ / 5,50 €
Papier 978-2-923603-06-3 10,95 $ / 7 €
Jacques Larivière, un prostitué mâle, se fait proposer un contrat qu'il ne peut refuser. Avec cinq collègues, il est invité à participer à une orgie organisée par des gens très importants. Protégés par une équipe de fiers-à-bras, les grosses légumes vivent leurs fantasmes, jusqu'à ce qu'un incident vienne compromettre le plaisir, et que la vie des invités ne soit soudain en danger…

8- *MARZI ET OUTCHJ*
Pascal Leclercq

2008 Polar 110 pages
PDF 978-2-923603-45-2 8,50 $ / 5,50 €
ePub 978-2-89671-029-4 8,50 $ / 5,50 €
Papier 978-2-923603-07-0 10,95 $ / 7 €

Le jour des funérailles de son mafieux de père, Marzi hérite d'un travail pour lequel il ne s'était jamais deviné de talent. Avec son fidèle ami Outchj, Marzi doit faire preuve de grande imagination pour éviter les pièges qui lui sont tendus. La galerie de personnages de Marzi et Outchj fait se rencontrer deux traditions très belges : le polar et la bédé.

9- *LA VIE D'ELVIS*
Alain Ulysse Tremblay

2008 Roman 102 pages
PDF 978-2-923603-46-9 8,50 $ / 5,50 €
ePub 978-2-89671-030-0 8,50 $ / 5,50 €
Papier 978-2-923603-08-7 10,95 $ / 7 €

Elvis est un petit gars de La Malbaie. Il a tout fait, jusqu'à devenir fan de westerns nocturnes avec son voisin Amérindien… 36 métiers, 36 misères ? Pas du tout ! Elvis a eu une vie heureuse. Rien ne l'atteint. Comme le canard, il est calme en surface, mais pédale comme le maudit sous l'eau.

10- *KYRA*
Léo Lamarche

2008 Fantastique 72 pages
PDF 978-2-923603-47-6 8,50 $ / 5,50 €
ePub 978-2-89671-031-7 8,50 $ / 5,50 €
Papier 978-2-923603-09-4 10,95 $ / 7 €

Kyra est jeune. À peine pubère. Elle fuit les armées du Propitator qui ont brûlé son village, tué sa famille et emmené son père. « Préférée » du Propitator, son ventre éclate, elle saigne et se sauve encore. Elle se réfugie chez les Vïwes, avant de rejoindre les Partisans, pour qui elle deviendra « la solution ».

11- *SPERANZA*
Laurent Chabin

2008 Roman 90 pages
PDF 978-2-923603-48-3 8,50 $ / 5,50 €
ePub 978-2-89671-032-4 8,50 $ / 5,50 €
Papier 978-2-923603-10-0 10,95 $ / 7 €

Robinson n'est pas seul sur son île. Il y traîne encore ses chaînes d'animal social, dont seules la peur et la démence parviendront à le libérer. Reprenant le mythe de Robinson, Laurent Chabin place la seule possibilité de survie dans le retour du naufragé à l'état sauvage, dans l'absence de tout désir de civilisation et dans la puissance corrosive du rêve.

12- *CYCLONE*
Dynah Psyché

2008 Roman 118 pages
PDF 978-2-923603-49-0 8,50 $ / 5,50 €
ePub 978-2-89671-033-1 8,50 $ / 5,50 €
Papier 978-2-923603-11-7 10,95 $ / 7 €

Une tempête tropicale menace la Martinique. Moïse, un père de famille, disparaît en mer. C'est dans l'angoisse et le désarroi que ses proches apprennent l'arrêt des recherches. Moïse serait mort. Et, tandis que s'approche la tempête, les masques tombent, les passions s'exacerbent, les haines se déchaînent, la tragédie se joue et la mort fauche.

13- *MÉTAREVERS*
Serge Lamothe

2009 Polar 117 pages
PDF 978-2-923603-50-6 8,50 $ / 5,50 €
ePub 978-2-89671-034-8 8,50 $ / 5,50 €
Papier 978-2-923603-12-4 10,95 $ / 7 €

Comme chaque fois qu'il croit pouvoir passer du bon temps et se détendre, Bernard Coste, dit le Gros, se trouve mêlé à une sale affaire. Mais que peuvent avoir en commun la mafia corse, les univers virtuels, le terrorisme, les transsexuelles et le saucisson sec ? À priori, rien. Jusqu'à ce que le Gros se pointe…

14- *UN CHIEN DE MA CHIENNE*
Mandalian

2009 Polar 106 pages
PDF 978-2-923603-51-3 8,50 $ / 7,50 €
ePub 978-2-89671-035-5 8,50 $ / 7,50 €
Papier 978-2-923603-13-1 10,95 $ / 10 €

Il la voit : il la veut. Mené par le bout de sa queue, il l'aura bien cherchée : de Montréal à Sherbrooke en passant par la forêt profonde, il y aura un vol, un accident, une mort, des armes, de la poutine à la Banquise, beaucoup de cash… et surtout, du désir fulgurant.

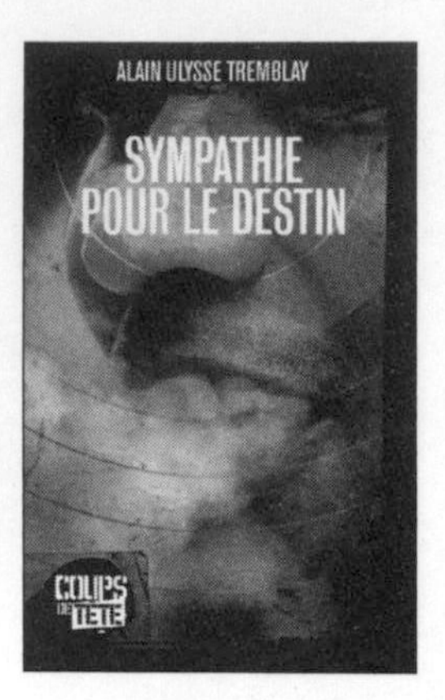

15- *SYMPATHIE POUR LE DESTIN*
Alain Ulysse Tremblay

2009 Roman 142 pages
PDF 978-2-923603-52-0 8,50 $ / 5,50 €
ePub 978-2-89671-036-2 8,50 $ / 5,50 €
Papier 978-2-923603-14-8 10,95 $ / 7 €

Carl Hébert, peintre à succès, se lève un matin avec un pied horriblement enflé. À l'hôpital, tandis que la batterie de médecins n'arrive pas à trouver la raison de cette enflure, Carl en profite pour se lier d'une amitié indéfectible avec son voisin de chambre, un fumeur invétéré, comme lui, au prénom magnifique : Elvis.

16- *GINA*
Emcie Gee

2009 Roman noir 92 pages
PDF 978-2-923603-53-7 8,50 $ / 5,50 €
ePub 978-2-89671-037-9 8,50 $ / 5,50 €
Papier 978-2-923603-15-5 10,95 $ / 7 €

Hank est-il gangster ou tueur à gages ? Le Noctambule est-il le repaire qu'il semble être ? Le Balafré est-il mort ? Et Gina est-elle une simple pute dont Hank tombe amoureux en la découvrant entre les bras de tous les salauds du coin ? Est-elle la fille, oui ou non, du boss ? Mais de quel boss ?

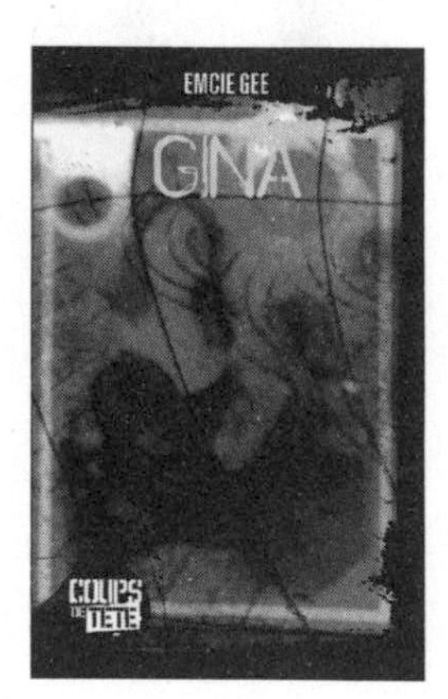

17- *TOUJOURS VERT*
Jean-François Poupart

2009 Polar 109 pages
PDF 978-2-923603-54-4 8,50 $ / 7,50 €
ePub 978-2-89671-038-6 8,50 $ / 7,50 €
Papier 978-2-923603-16-2 10,95 $ / 10 €

En 2018, les icônes du rock qui n'ont pas encore succombé à leurs années de *sex, drugs and rock n'roll* sont des vieillards. Leur maison de retraite : Evergreen, une *gated community* du sud de la Floride, ultime rempart de l'éternelle jeunesse et du faux-semblant. Une brèche s'ouvre, le maquillage coule et nous révèle le plus sombre visage du rêve américain.

18- ***SUR LES RIVES***
Michel Vézina

2009 Polar noir 139 pages
PDF 978-2-923603-55-1 11,95 $ / 7,50 €
ePub 978-2-89671-039-3 11,95 $ / 7,50 €
Papier 978-2-923603-17-9 14,95 $ / 10 €

D'abord un meurtre. Une femme. Retrouvée sur une plage, déchiquetée. Près de Rimouski. Puis un homme, assassiné de plusieurs balles dans le bas du corps, comme on dit au hockey. Et un meurtrier, qui boucle la boucle avec une balle dans la bouche. Mais encore, d'autres meurtres, tous semblables, avant, après, pendant... Une histoire impossible.

19- ***MORLANTE***
Stéphane Dompierre

2009 Roman d'aventures 154 pages
PDF 978-2-923603-56-8 11,95 $ / 7,50 €
ePub 978-2-89671-017-1 11,95 $ / 7,50 €
Papier 978-2-923603-18-6 14,95 $ / 10 €

1701. Dans la cale d'un bateau anglais, Morlante poursuit sa carrière d'écrivain. Quand le bateau est la cible de pirates ou d'une armée ennemie, il range sa plume, sort ses machettes et rentre dans le tas. On ne marque pas son époque en écrivant des livres, mais en tranchant des gorges.

20- ***MAUDITS !***
Edouard H. Bond

2009 Roman d'épouvante 141 pages
PDF 978-2-923603-61-2 11,95 $ / 7,50 €
ePub 978-2-89671-041-6 11,95 $ / 7,50 €
Papier 978-2-923603-24-7 14,95 $ / 10 €

Sergio est armé d'une machette, d'un harpon et d'une haine profonde de l'humanité. Ça tombe bien, une bande d'ados en limousine croise son chemin en s'en allant à l'après-bal. Ils sont saouls, stones, gonflés de poutine et de désir. ***Maudits !*** , c'est la légende du croque-mitaine avec des *stock-shots* cruels volés à la réalité. ***Maudits !***, un roman qui sème la terreur.

21- *LUNA PARK*
Laurent Chabin

2009 Roman 114 pages
PDF 978-2-923603-57-5 11,95 $ / 7,50 €
ePub 978-2-89671-042-3 11,95 $ / 7,50 €
Papier 978-2-923603-20-9 14,95 $ / 10 €

Élise et Jappy, les héros d'***Élise***, reviennent à la charge, mais cette fois-ci sous la plume corrosive de Laurent Chabin. ***Luna Park,*** c'est la voix d'une sorte de Big Brother enfermé devant ses caméras de surveillance. Quand Élise et Jappy débarquent avec leur fils, le narrateur pressent le pire. Et il a raison. ***Luna Park*** est un roman magnifiquement dystopique.

22- *MACADAM BLUES*
Léo Lamarche

2009 Roman noir 115 pages
PDF 978-2-923603-59-9 11,95 $ / 7,50 €
ePub 978-2-89671-043-0 11,95 $ / 7,50 €
Papier 978-2-923603-22-3 14,95 $ / 10 €

Tu entres dans un roman noir, un slam couleur cafard – un « macadam movie », si tu préfères. C'est l'histoire déglinguée d'un mec égaré dans Paname. Il n'a pas d'espoir, car l'espoir, c'est trop cher dans un monde où le fric et la dope mènent la ronde. Et il tente de survivre, happé par le courant, roulé vers les abysses où l'attendent ses démons.

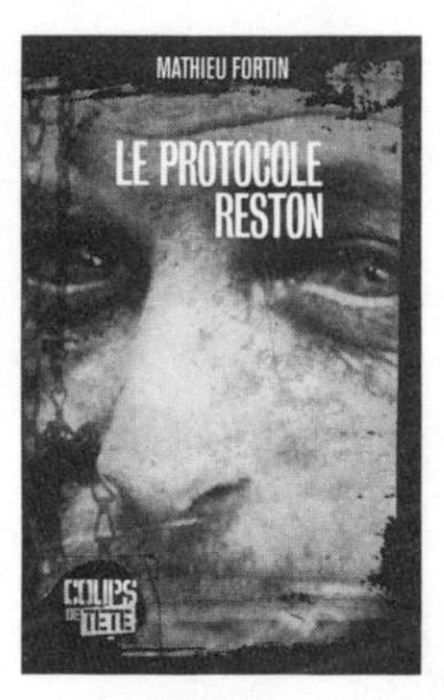

23- *LE PROTOCOLE RESTON*
Mathieu Fortin

2009 Roman d'horreur 124 pages
PDF 978-2-923603-60-5 11,95 $ / 7,50 €
ePub 978-2-89671-044-7 11,95 $ / 7,50 €
Papier 978-2-923603-23-0 14,95 $ / 10 €

Un monstre est capturé en Asie. S'agit-il d'un mutant ou d'une créature dont on n'a encore jamais soupçonné l'existence? Trois-Rivières est assiégée. Victor et Julien tentent d'échapper au fléau, mais les hommes et les femmes dont le monstre s'abreuve deviennent eux aussi des monstres assoiffés de sang.

24- *PARADIS, CLEF EN MAIN*
Nelly Arcan

2009 Roman 216 pages
PDF 978-2-923603-58-2 13,50 $ / 10 €
ePub 978-2-89671-018-8 13,50 $ / 10 €
Papier 978-2-923603-21-6 17,95 $ / 13 €

Une obscure compagnie organise le suicide de ses clients. Une seule condition leur est imposée : que leur désir de mourir soit incurable. Pur, absolu. Antoinette a été une candidate de *Paradis, Clef en main*. Elle n'en est pas morte. Désormais paraplégique, elle est branchée à une machine qui lui pompe ses substances organiques. Et Antoinette nous raconte sa vie.

25- *ZOÉLIE DU SAINT-ESPRIT*
Dynah Psyché

2010 Roman 116 pages
PDF 978-2-923603-62-9 11,95 $ / 7,50 €
ePub 978-2-89671-045-4 11,95 $ / 7,50 €
Papier 978-2-923603-25-4 14,95 $ / 10 €

Tout commence par le récit de ceux qui ne l'aiment pas et ont eu à subir les pires catastrophes. Sont-ils paranoïaques, ou Zoélie est-elle vraiment une sorcière? Puis vient l'étrange litanie des ancêtres, longue lignée de « femmes debout » qui ont transmis la malédiction de génération en génération; et celle des victimes, brisées, mutilées, vidées de leur sang.

26- *EN-D'SOUS*
Sunny Duval

2010 Roman 152 pages
PDF 978-2-923603-64-3 11,95 $ / 7,50 €
ePub 978-2-89671-046-1 11,95 $ / 7,50 €
Papier 978-2-923603-27-8 14,95 $ / 10 €

Sunny Duval joue de la guitare et aime les choses simples. Dans ***En-d'sous***, il parle de rock, mais aussi d'une ville et de ses dessous, de ceux qu'on dirait qu'elle garde un peu secrets. Dans ***En-d'sous***, il y a cette folie saine et ordinaire des gens aux sourires sublimes, il y a la richesse du temps et des désirs, le luxe de faire ce qu'on veut, quand on le veut.

27- ***MARZI À MARZI***
Pascal Leclercq

2010 Polar 136 pages
PDF 978-2-923603-63-6 11,95 $ / 7,50 €
ePub 978-2-89671-047-8 11,95 $ / 7,50 €
Papier 978-2-923603-26-1 14,95 $ / 10 €

Marzi n'en peut plus. D'abord, il y a les affaires, toujours de plus en plus compliquées, toujours plus difficiles à gérer, et puis il y a les amours, toujours difficiles, toujours compliquées. Alors Marzi décide de partir à la recherche de ses origines : direction Marzi, petit village du sud de l'Italie ! Mais notre homme ne l'aura pas facile.

28- ***LA PHALANGE DES AVALANCHES***
Benoît Bouthillette

2010 Science-fiction 168 pages
PDF 978-2-923603-65-0 11,95 $ / 7,50 €
ePub 978-2-89671-048-5 11,95 $ / 7,50 €
Papier 978-2-923603-28-5 14,95 $ / 10 €

Un nouvel épisode de *La série Élise*. À la fin de ***Luna Park*** (Laurent Chabin), Élise et Jappy ont mené à terme leur mission… Faut maintenant rentrer sur Terre. Mais Élise a d'autres projets pour Kassad, Lison et Jappy. Même si leur passage sur la Lune ne fera pas que des heureux, les jours qui suivent risquent d'être fertiles en émotions brutes.

29- ***LE CORPS DE LA DENEUVE***
Maxime Catellier

2010 Roman 120 pages
PDF 978-2-923603-66-7 11,95 $ / 7,50 €
ePub 978-2-89671-049-2 11,95 $ / 7,50 €
Papier 978-2-923603-29-2 14,95 $ / 10 €

Le Corps de La Deneuve est une supercherie littéraire consistant à ébranler le lecteur jusque dans ses plus intimes convictions. On y rencontrera des personnages invraisemblables dont Renard d'Omble, Hansel von Krieg, Prince d'Alvéole, le Docteur, les Frères Collier, le Douanier et aussi une femme qui se promène dans Paris avec une hirondelle sur son sein droit.

30- *TOI ET MOI, IT'S COMPLICATED*
Dominic Bellavance

2010 Roman 128 pages
PDF 978-2-923603-72-8 11,95 $ / 7,50 €
ePub 978-2-89671-050-8 11,95 $ / 7,50 €
Papier 978-2-923603-37-7 14,95 $ / 10 €

Véronique est jalouse et Daniel ne sait pas comment lui annoncer qu'«il casse». Anne-Sophie fait des photos dans un party d'étudiants, où Daniel était tellement saoul qu'il se souvient à peine d'avoir frenché avec Vickie, la grande chum de Sara qui, elle, est amoureuse de Steeve, qui, lui, a eu une aventure avec Anne-Sophie pendant le même party, Anne-Sophie, qui, elle...

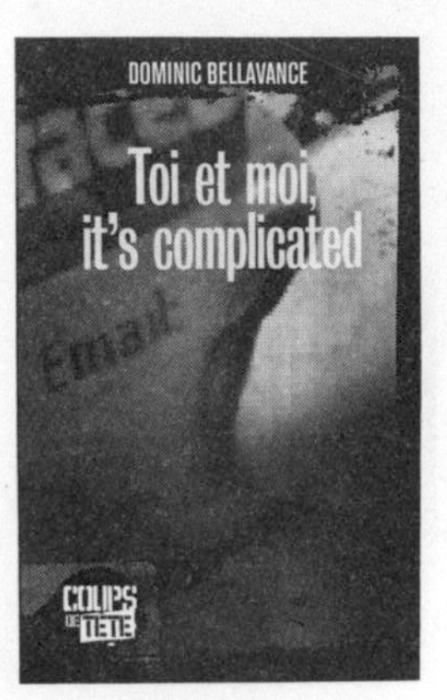

31- *BIG WILL*
Alain Ulysse Tremblay

2010 Roman 184 pages
PDF 978-2-923603-71-1 12,95 $ / 9 €
ePub 978-2-89671-051-5 12,95 $ / 9 €
Papier 978-2-923603-34-6 16,95 $ / 12 €

Big Will, c'est l'histoire d'un géant du Nord hanté par ses morts : son oncle, son cousin et sa mère, et puis Olsen et les pirates du Sud, et puis tout un paquet d'autres qui le poursuivent et dont les yeux de braises illuminent ses nuits blanches.
Big Will raconte l'histoire d'une fugue trop longue, l'histoire d'un homme et de ses péchés, l'histoire d'un peuple et d'un pays...

32- *L'HUMAIN DE TROP*
Dominique Nantel

2010 Science-fiction 104 pages
PDF 978-2-923603-67-4 11,95 $ / 7,50 €
ePub 978-2-89671-052-2 11,95 $ / 7,50 €
Papier 978-2-923603-30-8 14,95 $ / 10 €

Fasciola n'a pas le droit d'exister. Un enfant par famille, c'est tout. Sa mère, Sarah, a caché sa fille jusqu'à ce que des voisines jalouses menacent de la dénoncer. La frêle Fasciola s'enfuit et se rend à Cité-Sur-Mer, la ville flottante et houleuse où les morts engraissent les poissons qui eux engraissent les pélicans qui eux engraissent...

33- ***LE SERRURIER***
Mathieu Fortin

2010 Roman 136 pages
PDF 978-2-923603-74-2 11,95 $ / 8,50 €
ePub 978-2-89671-053-9 11,95 $ / 8,50 €
Papier 978-2-923603-73-5 14,95 $ / 11 €

Liés par les clés et les serrures du désir et de l'amour, Vincent et Rachel, dans le manoir Da Silva de Trois-Rivières en 2006, ainsi que Fernando et Emilia, à la forge Caprotti à Firenze en 1706, devront tenter de contrôler leurs pulsions pour que leur quête de sexe et d'amour ne les mène à leur perte.

34- ***LES CHEMINS DE MOINDRE RÉSISTANCE***
Guillaume Lebeau

2010 Roman 320 pages
PDF 978-2-923603-68-1 14,95 $ / 11 €
ePub 978-2-89671-054-6 14,95 $ / 11 €
Papier 978-2-923603-31-5 19,95 $ / 14,5 €

Il y a un écrivain qui veut garder secrète son identité et qui ne tolère aucune intervention de quiconque sur ses manuscrits… Il y a ses éditeurs, prêts à tout pour vendre le plus possible de ses livres… Il y a un enfant atteint d'une variété rare de leucémie et qui veut rencontrer son écrivain préféré. Coûte que coûte.

35- ***ZONES 5***
Michel Vézina

2010 Roman d'aventures 228 pages
PDF 978-2-923603-70-4 13,50 $ / 10 €
ePub 978-2-89671-055-3 13,50 $ / 10 €
Papier 978-2-923603-33-9 17,95 $ / 13 €

Michel Vézina replonge sa plume dans l'encre de *La Série Élise*. Jappy, Élise et leurs amis squattent toujours Blanc-Sablon. Non seulement y mènent-ils leurs affaires illicites, mais en se mettant en lien avec d'autres villages squattés, ils créent autant de Zones autonomes temporaires. Un nouvel âge d'or de la piraterie est-il né ?

36- *OTCHI TCHORNYA*
Mikhaïl W. Ramseier

2010 Roman 550 pages
PDF 978-2-923603-88-9 18,95 $ / 12,50 €
ePub 978-2-89671-056-0 18,95 $ / 12,50 €
Papier 978-2-923603-87-2 24,95 $ / 16,5 €

Zénobe trouve une femme morte dans la salle de bain de son logis parisien. Or cette femme habitait clandestinement dans son appartement. Il trouve ensuite une enfant, la fille de la morte. Que faire de cette fillette qui ne possède aucun papier français ? S'engage alors un périple qui évoluera de la France aux portes de la Sibérie, en passant par Saint-Pétersbourg.

37- *COMMENT APPELER ET CHASSER L'ORIGNAL*
Sylvain Houde

2010 Polar 320 pages
PDF 978-2-923603-80-3 14,95 $ / 11 €
ePub 978-2-89671-057-7 14,95 $ / 11 €
Papier 978-2-923603-79-7 19,95 $ / 14,95 €

L'Organisation Révolutionnaire d'Intervention Guerrière de Nuisance Anticapitaliste Libertaire (l'ORIGNAL) fait exploser des véhicules utilitaires sport dans les parkings des centres commerciaux du Québec. Simon Brisebois, journaliste chez Polar Police, est assigné à l'affaire. Son boss, le rédac-chef, veut du sang et de la nouvelle qui pète.

38- *PARK EXTENSION*
Laurent Chabin

2010 Science-fiction 176 pages
PDF 978-2-923603-76-6 12,95 $ / 9 €
ePub 978-2-89671-058-4 12,95 $ / 9 €
Papier 978-2-923603-75-9 16,95 $ / 12,50 €

Shade, la narratrice, une tueuse impitoyable, ne pourra que s'avouer vaincue face à l'impossibilité de changer le monde. La vengeance est peut-être un plat qui se mange froid, mais il se mijote dans le sang chaud, le sperme tiède et les larmes brûlantes… Après ***Élise, Luna Park, La phalange des avalanches et Zones 5, Park extension*** est le numéro cinq de *La série Élise*.

39- ***CONTRE DIEU***
Patrick Senécal

2010 Suspense 128 pages
PDF 978-2-923603-84-1 11,95 $ / 8,50 €
ePub 978-2-89671-016-4 11,95 $ / 8,50 €
Papier 978-2-923603-83-4 14,95 $ / 11 €

Que se passe-t-il dans la tête d'un homme lorsqu'il perd, tout d'un coup, toutes ses raisons de vivre ? Quand tout ce qu'il a construit s'effondre ? Que se passe-t-il quand on ne comprend pas pourquoi le sort s'acharne sur nous ? Qu'est-ce qui nous retient, maintenant que tout est fini, qu'on n'a plus rien, de ne pas devenir monstrueux ?

40- ***PANDÉMONIUM CITÉ***
David Bergeron

2011 Fantastique noir 144 pages
PDF 978-2-923603-94-0 11,95 $ / 8,50 €
ePub 978-2-89671-059-1 11,95 $ / 8,50 €
Papier 978-2-923603-93-3 14,95 $ / 11 €

Avec son ami Vlad, un rescapé de la guerre des Balkans, Philippe se retrouve au cœur d'une conspiration sataniste. Des chèvres seront sacrifiées et des hommes feront renaître d'anciens dieux disparus. Philippe et Vlad risqueront leur vie pour empêcher les conspirateurs de réaliser leur projet. Ils ne savent pas encore que c'est l'enfer qui les attend.

41- ***LA GRANDE MORILLE***
Pascal Leclercq

2011 Polar 168 pages
PDF 978-2-923603-90-2 12,95 $ / 9,50 €
ePub 978-2-89671-060-7 12,95 $ / 9,50 €
Papier 978-2-923603-89-6 16,95 $ / 12,50 €

Après ***Marzi et Outchj*** et ***Marzi à Marzi,*** Pascal Leclercq nous propose un nouvelle épisode des aventures de Marzi. ***La grande morille,*** une aventure abracadabrante où sexe, drogues, meurtres, poursuites et magouilles monumentales s'enchaînent à un rythme désopilant. ***La grande morille,*** une grande chasse aux champignongnons !

42- *L'OGRESSE*
Dynah Psyché

2011 Roman 132 pages
PDF 978-2-923603-96-4 11,95 $ / 8,50 €
ePub 978-2-89671-061-4 11,95 $ / 8,50 €
Papier 978-2-923603-95-7 14,95 $ / 11 €

« La tuerie m'ennuie, quand il y a du jus. Ça crie et ça salit. Il y en a partout, quand le manger se débat… » L'ogresse unit dans une même chair tous les instincts primaires, ceux des commencements et ceux de la fin. « L'ogritude totale dans une sexualité non moins totale! »

43- *LES PORTES DE L'OMBRE*
Gilles Vidal

2011 Thriller 280 pages
PDF 978-2-923603-98-8 13,50 $ / 10 €
ePub 978-2-89671-062-1 13,50 $ / 10 €
Papier 978-2-923603-97-1 17,95 $ / 13 €

Suicides radicaux et spectaculaires, morts accidentelles inconcevables, Chanelet l'océane se trouve percutée de plein fouet par une étrange « épidémie » qui frappe ceux dont l'âme est noire, ceux qui sont dépourvus de la moindre trace de charité, ceux dont les penchants sont les plus tordus.

44- *LES JARDINS NAISSENT*
Jean-Euphèle Milcé

2011 Roman 136 pages
PDF 978-2-89671-007-2 11,95 $ / 8,50 €
ePub 978-2-89671-063-8 11,95 $ / 8,50 €
Papier 978-2-89671-006-5 14,95 $ / 11 €

Nous sommes à Port-au-Prince. Après le *Goudougoudou* du 12 janvier 2010, Daniel, un Haïtien, repère Marianne, une jeune Française au service de la Croix-Rouge. Il l'invite dans le bas de la ville pour lui montrer que, parmi les décombres, la population s'organise. Le projet : l'ensemencement des terrains déblayés, là où personne ne reconstruit encore.

45- *J'HAÏS LE HOCKEY*
François Barcelo

2011 Roman noir 128 pages
PDF 978-2-89671-001-0 11,95 $ / 8,50 €
ePub 978-2-89671-064-5 11,95 $ / 8,50 €
Papier 978-2-89671-000-3 14,95 $ / 11 €

Antoine Vachon haït le hockey. À la suite de l'assassinat du coach de l'équipe de hockey de son fils, Antoine se voit pourtant contraint de le remplacer à pied levé, sans savoir alors que sa vie va changer. Le flou persiste. Qui a assassiné le coach ? Et surtout, pourquoi ? Le fils d'Antoine aurait-il quelque chose à voir dans tout cela ? L'entraîneur était pourtant connu et apprécié dans sa communauté, il s'occupait bien de ses joueurs, trop bien peut-être…

46- *ROMAN-RÉALITÉ*
Dominic Bellavance

2011 Roman 312 pages
PDF 978-2-923603-92-6 14,95 $ / 11 €
ePub 978-2-89671-019-5 14,95 $ / 11 €
Papier 978-2-923603-91-9 19,95 $ / 14,50 €

Quatre jeunes auteurs sont sélectionnés pour participer à la première expérience de roman-réalité. Ils devront s'isoler pendant deux semaines dans un chalet situé dans Charlevoix et rédiger de courts textes, pour nous raconter leur journée dans les moindres détails. Tout ceci pourrait paraître des plus reposant, mais le directeur du projet veut de l'action. Et si les auteurs n'en créent pas, il fera tout pour en trouver… Bienvenue dans le monde de Roman-réalité !

47- *LE PRISONNIER (La série Élise 6)*
Laurent Chabin

2011 Roman 210 pages
PDF 978-2-89671-020-1 13,50 $ / 10 €
ePub 978-2-89671-009-6 13,50 $ / 10 €
Papier 978-2-89671-008-9 17.95 $ / 13 €

Un cadre supérieur obsédé par l'énigme que pose l'existence d'un atroce pénitencier cherche à en découvrir la clé. Sa fascination le conduira jusqu'aux portes de Luna Park, qu'il franchira sans espoir de retour. Alors seulement il comprendra, dans sa chair même, en quoi consiste la prison de l'enfer… *Le prisonnier* est le tome 6 de la série Élise, une saga d'anticipation politique qui effraie par ses allures de récit prémonitoire.

48- ***LES ÉCUREUILS SONT DES SANS-ABRI***
Simon Girard

2011 Roman 200 pages
PDF 978-2-89671-021-8 12,95 $ / 9,50 €
ePub 978-2-89671-011-9 12,95 $ / 9,50 €
Papier 978-2-89671-010-2 16,95 $ / 12,50 €

Il vend des sandwichs dans les bars. Il rencontre des filles. Il va souvent en Gaspésie. Il loue son corps à l'industrie pharmaceutique. Il observe les écureuils dans les parcs de Montréal. Il boit trop de bière et dort trop peu. Et il écrit. Il ne veut plus rien faire d'autre qu'écrire. Il a des idées et il leur fait passer le test de la réalité. Il écrit le choc entre ses idées et la réalité.